개념 ⊗ 연산은
연산 집중 연습을 통해
개념을 완성시키는
솔루션입니다.

연구진

이동환_ 부산교육대학교 교수
이상욱_ 풍산자수학연구소 책임연구원

집필진

강연주_ 상도 뉴스터디, 풍산자수학연구소 연구위원
김규상_ 광명 더옳은수학, 풍산자수학연구소 연구위원
김명중_ 상도 뉴스터디, 풍산자수학연구소 연구위원
설성환_ 광명 더옳은수학, 풍산자수학연구소 연구위원
이지은_ 부산 하이매쓰, 풍산자수학연구소 연구위원
윤형은_ 상도 뉴스터디, 풍산자수학연구소 연구위원

교과서 속 연산을 빠르게!

풍산자

개념 × 연산

초등 수학 6-1

구성과 특징

개념 이해

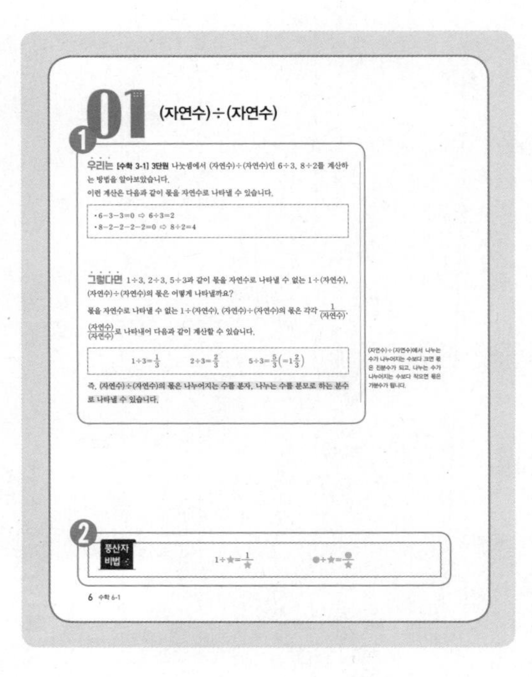

01 (자연수)÷(자연수)

❶ 우리는 [수학 3-1] 3단원 나눗셈에서 (자연수)÷(자연수)인 6÷3, 8÷2를 계산하는 방법을 알아보았습니다.
이런 계산은 다음과 같이 몫을 자연수로 나타낼 수 있습니다.

- $6-3-3=0 \Rightarrow 6\div3=2$
- $8-2-2-2-2=0 \Rightarrow 8\div2=4$

그렇다면 1÷3, 2÷3, 5÷3과 같이 몫을 자연수로 나타낼 수 없는 1÷(자연수), (자연수)÷(자연수)의 몫은 어떻게 나타낼까요?
몫을 자연수로 나타낼 수 없는 1÷(자연수), (자연수)÷(자연수)의 몫은 각각 $\frac{1}{(자연수)}$, $\frac{(자연수)}{(자연수)}$로 나타내어 다음과 같이 계산할 수 있습니다.

$1\div3=\frac{1}{3}$ $2\div3=\frac{2}{3}$ $5\div3=\frac{5}{3}\left(=1\frac{2}{3}\right)$

즉, (자연수)÷(자연수)의 몫은 나누어지는 수를 분자, 나누는 수를 분모로 하는 분수로 나타낼 수 있습니다.

(자연수)÷(자연수)에서 나누는 수가 나누어지는 수보다 크면 몫은 진분수가 되고, 나누는 수가 나누어지는 수보다 작으면 몫은 가분수가 됩니다.

❷ 풍산자 비법 $1\div★=\frac{1}{★}$ $●\div★=\frac{●}{★}$

6 수학 6-1

❶ 이미 배운 내용으로 앞으로 배울 내용을 자연스럽게 연계한 개념학습으로 읽으면서 이해할 수 있도록 개념을 설명했어요.

❷ 읽으면서 이해한 개념을 풍산자만의 비법으로 한눈에 정리할 수 있도록 하였습니다.

3단계 문제 해결

1단계 예제 따라 풀어보는 연산

예제 따라 풀어보는 연산

예제 1 $1\div3=\frac{1}{3}$

01 1÷4=	02 1÷5=
03 1÷6=	04 1÷7=

예제 2 $2\div3=\frac{2}{3}$

05 4÷9=	06 5÷7=
07 7÷11=	08 2÷13=

예제 3 $4\div3=\frac{4}{3}\left(=1\frac{1}{3}\right)$

09 7÷3=	10 7÷4=
11 8÷5=	12 14÷13=

1. 분수의 나눗셈 7

개념과 관련된 대표 연산 문제를 풀어보며 배운 개념을 문제에 적용해요.

2단계 스스로 풀어보는 연산

스스로 풀어보는 연산

13 1÷8=	14 3÷5=
15 2÷9=	16 18÷11=
17 9÷4=	18 3÷10=
19 1÷12=	20 11÷6=
21 5÷9=	22 7÷8=
23 13÷8=	24 33÷10=
25 14÷5=	26 50÷21=

8 수학 6-1

이제는 스스로 문제를 풀어볼까요? 개념을 잘 익혔는지 확인해 봅시다.

초등 풍산자 개념×연산의 포인트

1 읽으면서 이해되는 개념

이미 학습한 개념을 바탕으로 앞으로 배울 개념을 자연스럽게 배웁니다.

2 꼭 필요한 핵심 개념 수록

교과서 단원을 재구성한 핵심 개념으로 수학을 가장 빠르고 쉽게 익힙니다.

3 학습에 가장 효율적인 3단계 문제

연산의 3단계 문제 구성으로 수학 실력이 단계적으로 상승합니다.

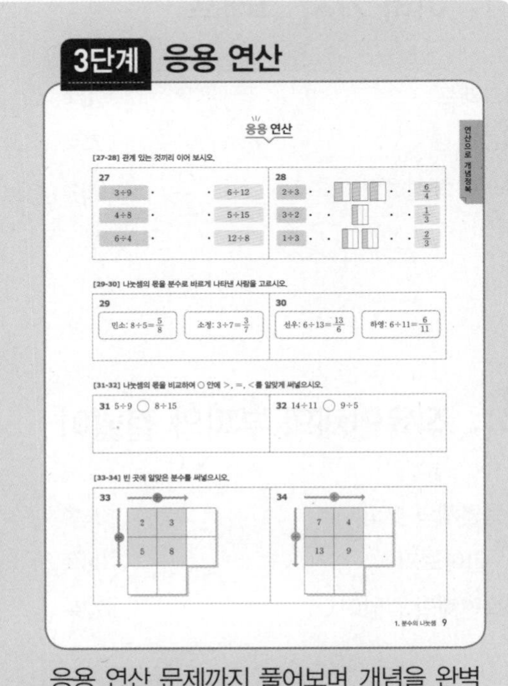

응용 연산 문제까지 풀어보며 개념을 완벽하게 완성해요.

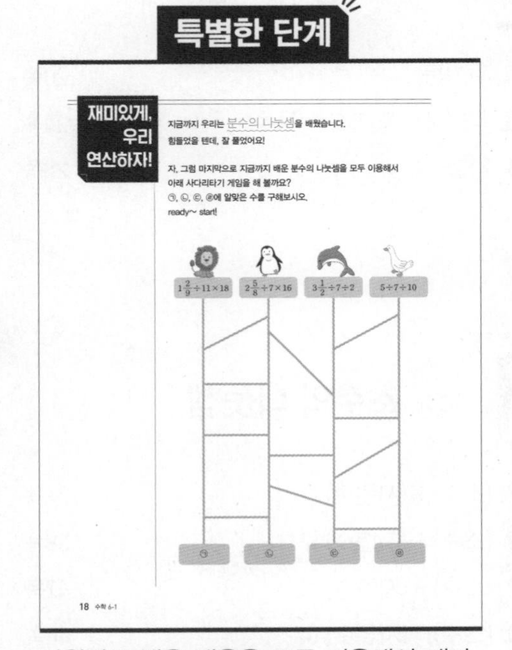

단원별로 배운 내용을 모두 이용해서 재미있는 연산 문제를 해결해 보세요.

차례

1 ::: 분수의 나눗셈

2 ::: 각기둥과 각뿔

3 ::: 소수의 나눗셈

4 ::: 비와 비율

5 ::: 여러 가지 그래프

6 ::: 직육면체의 부피와 겉넓이

1

분수의 나눗셈

공부할 내용	공부한 날
01 (자연수)÷(자연수)	월 일
02 (분수)÷(자연수)	월 일
03 (대분수)÷(자연수)	월 일

01 (자연수)÷(자연수)

우리는 **[수학 3-1] 3단원** 나눗셈에서 (자연수)÷(자연수)인 $6\div3$, $8\div2$를 계산하는 방법을 알아보았습니다.

이런 계산은 다음과 같이 몫을 자연수로 나타낼 수 있습니다.

- $6-3-3=0$ ⇨ $6\div3=2$
- $8-2-2-2-2=0$ ⇨ $8\div2=4$

그렇다면 $1\div3$, $2\div3$, $5\div3$과 같이 몫을 자연수로 나타낼 수 없는 1÷(자연수), (자연수)÷(자연수)의 몫은 어떻게 나타낼까요?

몫을 자연수로 나타낼 수 없는 1÷(자연수), (자연수)÷(자연수)의 몫은 각각 $\frac{1}{(\text{자연수})}$, $\frac{(\text{자연수})}{(\text{자연수})}$로 나타내어 다음과 같이 계산할 수 있습니다.

$1\div3=\frac{1}{3}$ $2\div3=\frac{2}{3}$ $5\div3=\frac{5}{3}\left(=1\frac{2}{3}\right)$

즉, (자연수)÷(자연수)의 몫은 나누어지는 수를 분자, 나누는 수를 분모로 하는 분수로 나타낼 수 있습니다.

(자연수)÷(자연수)에서 나누는 수가 나누어지는 수보다 크면 몫은 진분수가 되고, 나누는 수가 나누어지는 수보다 작으면 몫은 가분수가 됩니다.

풍산자 비법

1÷★=$\frac{1}{★}$

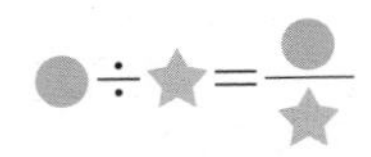

예제 따라 풀어보는 연산

예제 1 $1 \div 3 = \frac{1}{3}$

01 $1 \div 4 =$	**02** $1 \div 5 =$
03 $1 \div 6 =$	**04** $1 \div 7 =$

예제 2 $2 \div 3 = \frac{2}{3}$

05 $4 \div 9 =$	**06** $5 \div 7 =$
07 $7 \div 11 =$	**08** $2 \div 13 =$

예제 3 $4 \div 3 = \frac{4}{3}\left(=1\frac{1}{3}\right)$

09 $7 \div 3 =$	**10** $7 \div 4 =$
11 $8 \div 5 =$	**12** $14 \div 13 =$

스스로 풀어보는 연산

13 $1 \div 8 =$	**14** $3 \div 5 =$
15 $2 \div 9 =$	**16** $18 \div 11 =$
17 $9 \div 4 =$	**18** $3 \div 10 =$
19 $1 \div 12 =$	**20** $11 \div 6 =$
21 $5 \div 9 =$	**22** $7 \div 8 =$
23 $13 \div 8 =$	**24** $33 \div 10 =$
25 $14 \div 5 =$	**26** $50 \div 21 =$

응용 연산

[27-28] 관계 있는 것끼리 이어 보시오.

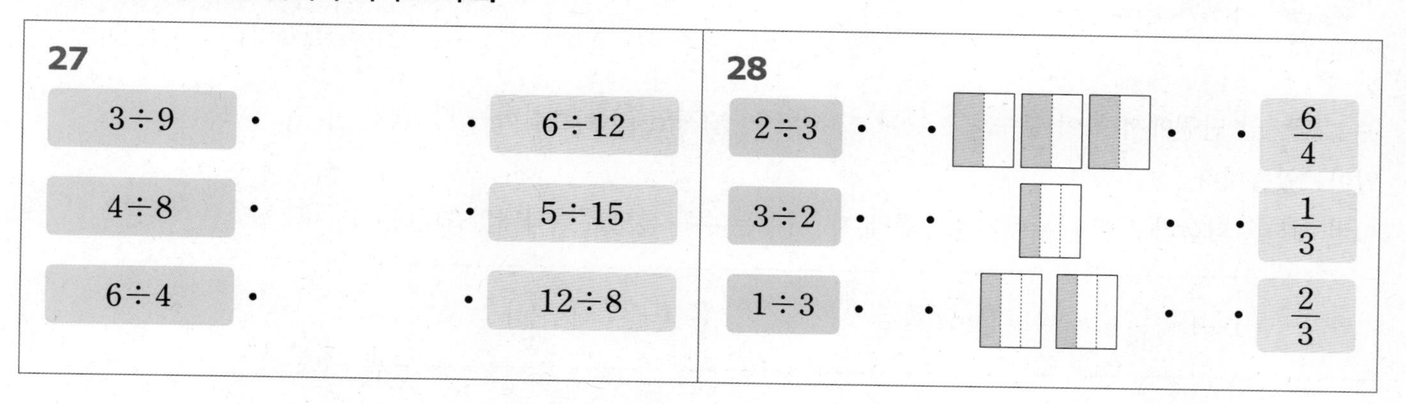

[29-30] 나눗셈의 몫을 분수로 바르게 나타낸 사람을 고르시오.

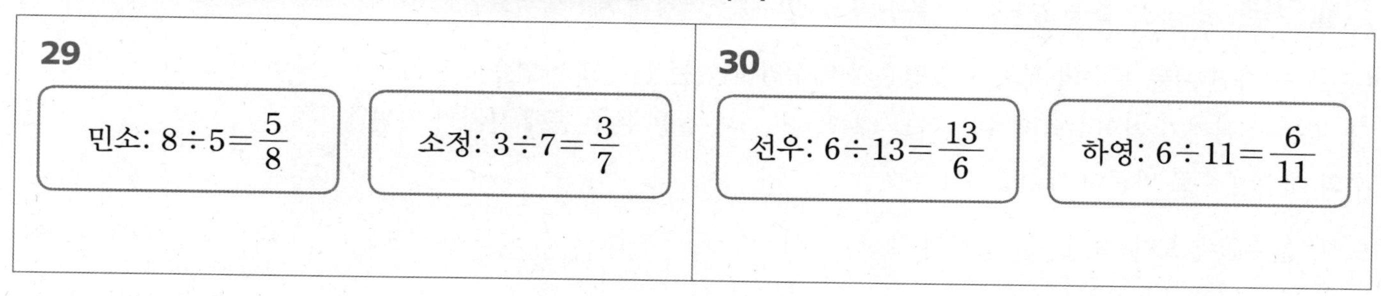

[31-32] 나눗셈의 몫을 비교하여 ○ 안에 $>$, $=$, $<$를 알맞게 써넣으시오.

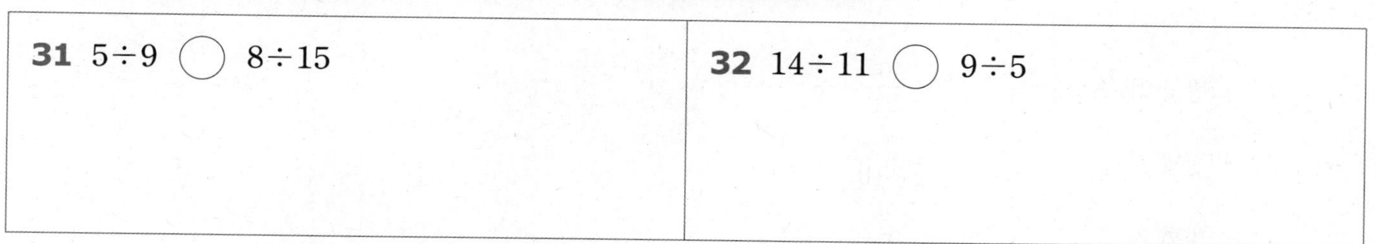

[33-34] 빈 곳에 알맞은 분수를 써넣으시오.

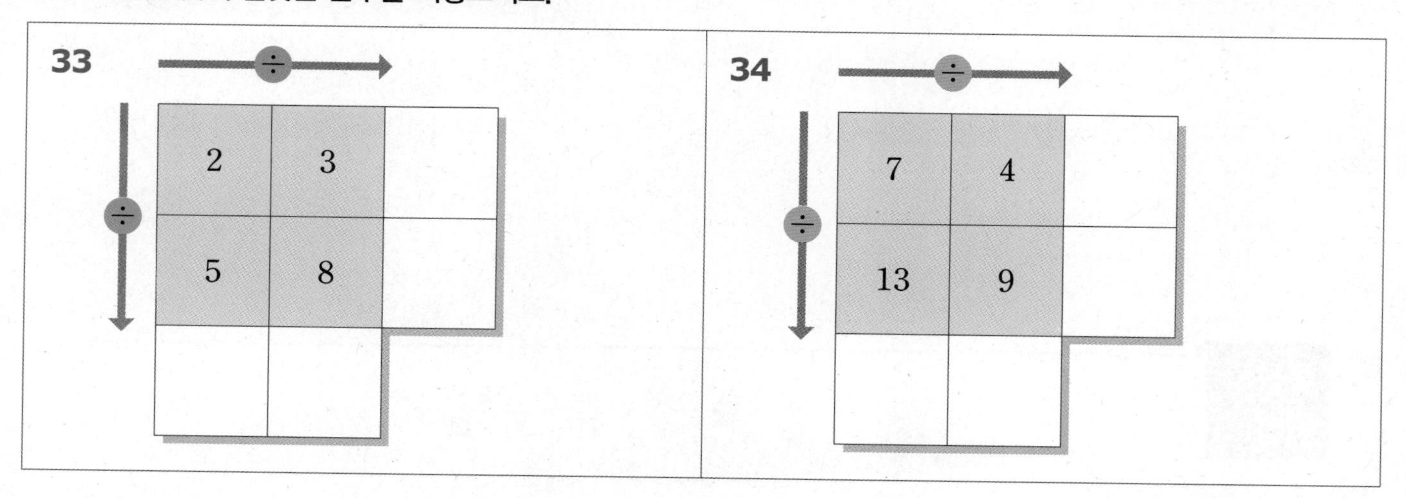

02 (분수)÷(자연수)

우리는 앞 단원에서 몫이 분수로 나타나는 (자연수)÷(자연수)를 계산하는 방법을 알아보았습니다.

이런 계산은 다음과 같이 나누어지는 수를 분자, 나누는 수를 분모로 나타내었습니다.

$1\div4=\frac{1}{4}$　　　$2\div5=\frac{2}{5}$　　　$5\div4=\frac{5}{4}=\left(1\frac{1}{4}\right)$

그렇다면 $\frac{6}{7}\div3$, $\frac{3}{5}\div2$와 같은 (분수)÷(자연수)는 어떻게 계산할까요?

(분수)÷(자연수)는 분수의 분자가 자연수의 배수일 때에는 분자를 자연수로 나눕니다. 분수의 분자가 자연수의 배수가 아닐 때에는 크기가 같은 분수 중에 분자가 자연수의 배수인 수로 바꾸어 계산합니다.

또한, 분수의 분모에 자연수를 곱하여 계산합니다. 즉, 자연수를 $\frac{1}{(자연수)}$로 바꾼 다음 곱하여 계산합니다.

(분수)÷(자연수)를 분수의 곱셈으로 나타내어 계산할 때에는 분자는 분자끼리, 분모는 분모끼리 곱합니다.

- $\frac{6}{7}\div3$　[방법 1] $\frac{6}{7}\div3=\frac{6\div3}{7}=\frac{2}{7}$

  [방법 2] $\frac{6}{7}\div3=\frac{6}{7}\times\frac{1}{3}=\frac{6}{21}=\frac{2}{7}$

- $\frac{3}{5}\div2$　[방법 1] $\frac{3}{5}\div2=\frac{6}{10}\div2=\frac{6\div2}{10}=\frac{3}{10}$

  [방법 2] $\frac{3}{5}\div2=\frac{3}{5}\times\frac{1}{2}=\frac{3}{10}$

즉, (분수)÷(자연수)는 (분수)×$\frac{1}{(자연수)}$로 계산할 수 있습니다.

풍산자 비법

$\frac{★}{●}\div■=\frac{★}{●}\times\frac{1}{■}=\frac{★}{●\times■}$

예제 따라 풀어보는 연산

예제 1 $\frac{4}{5}\div2=\frac{4\div2}{5}=\frac{2}{5}$

01 $\frac{12}{13}\div4=$	**02** $\frac{6}{11}\div3=$
03 $\frac{10}{7}\div2=$	**04** $\frac{8}{3}\div4=$

예제 2 $\frac{4}{7}\div3=\frac{12}{21}\div3=\frac{12\div3}{21}=\frac{4}{21}$

05 $\frac{7}{8}\div5=$	**06** $\frac{6}{7}\div5=$
07 $\frac{11}{9}\div4=$	**08** $\frac{25}{21}\div3=$

예제 3 $\frac{13}{14}\div5=\frac{13}{14}\times\frac{1}{5}=\frac{13}{70}$

09 $\frac{7}{8}\div3=$	**10** $\frac{5}{9}\div4=$
11 $\frac{5}{2}\div4=$	**12** $\frac{19}{4}\div6=$

스스로 풀어보는 연산

13 $\frac{10}{11} \div 5=$	14 $\frac{1}{5} \div 3=$
15 $\frac{1}{4} \div 5=$	16 $\frac{4}{3} \div 2=$
17 $\frac{6}{5} \div 2=$	18 $\frac{8}{9} \div 4=$
19 $\frac{3}{7} \div 5=$	20 $\frac{7}{9} \div 4=$
21 $\frac{9}{4} \div 4=$	22 $\frac{7}{6} \div 2=$
23 $\frac{3}{10} \div 6=$	24 $\frac{5}{4} \div 2=$
25 $\frac{8}{5} \div 5=$	26 $\frac{8}{9} \div 6=$

응용 연산

[27-28] 잘못 계산한 곳을 찾아 바르게 계산하시오.

27 $\frac{5}{12}\div 9=\frac{5}{12}\times 9=\frac{15}{4}$	**28** $\frac{8}{13}\div 2=\frac{13}{8}\times 2=\frac{13}{4}$

[29-30] 나눗셈의 몫을 잘못 계산한 것을 찾아 기호를 쓰시오.

29

㉠ $7\div 8=\frac{7}{8}$

㉡ $\frac{7}{10}\div 3=\frac{7}{30}$

㉢ $\frac{9}{8}\div 9=\frac{1}{8}$

㉣ $\frac{3}{7}\div 2=\frac{6}{7}$

30

㉠ $4\div 9=\frac{4}{9}$

㉡ $\frac{17}{9}\div 2=\frac{17}{18}$

㉢ $\frac{7}{2}\div 3=\frac{6}{7}$

㉣ $\frac{7}{12}\div 3=\frac{7}{36}$

[31-32] 나눗셈의 몫이 다른 것을 찾아 기호를 쓰시오.

31

㉠ $\frac{3}{8}\div 6$　㉡ $\frac{1}{4}\div 4$　㉢ $\frac{2}{3}\div 4$

32

㉠ $\frac{3}{2}\div 8$　㉡ $\frac{25}{6}\div 10$　㉢ $\frac{15}{4}\div 9$

[33-34] 관계 있는 것끼리 이어 보시오.

33

$\frac{8}{5}\div 4$ •	• $\frac{1}{4}\times\frac{1}{9}$
$\frac{2}{3}\div 2$ •	• $\frac{2}{3}\times\frac{1}{2}$
$\frac{1}{4}\div 9$ •	• $\frac{8}{5}\times\frac{1}{4}$

34

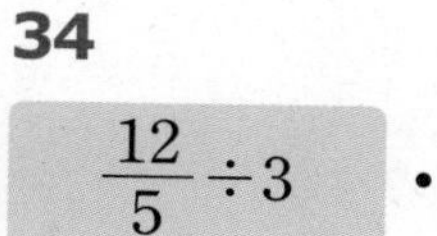

$\frac{12}{5}\div 3$ •	• $\frac{4}{9}$
$\frac{20}{7}\div 5$ •	• $\frac{4}{7}$
$\frac{28}{9}\div 7$ •	• $\frac{4}{5}$

03 (대분수)÷(자연수)

우리는 앞 단원에서 (분수)÷(자연수)를 계산하는 방법을 알아보았습니다.
이런 계산은 분수의 분자가 자연수의 배수일 때에는 분자를 자연수로 나누고, 분수의 분자가 자연수의 배수가 아닐 때에는 크기가 같은 분수 중에 분자가 자연수의 배수인 수로 바꾸어 계산하였습니다. 또한, 분수의 분모에 자연수를 곱하여 다음과 같이 계산하였습니다.

- $\frac{4}{7}\div2$ [방법 1] $\frac{4}{7}\div2=\frac{4\div2}{7}=\frac{2}{7}$
  [방법 2] $\frac{4}{7}\div2=\frac{4}{7}\times\frac{1}{2}=\frac{4}{14}=\frac{2}{7}$
- $\frac{3}{8}\div2$ [방법 1] $\frac{3}{8}\div2=\frac{6}{16}\div2=\frac{6\div2}{16}=\frac{3}{16}$
  [방법 2] $\frac{3}{8}\div2=\frac{3}{8}\times\frac{1}{2}=\frac{3}{16}$

그렇다면 $2\frac{1}{3}\div4$와 같은 (대분수)÷(자연수)는 어떻게 계산할까요?
(대분수)÷(자연수)는 대분수를 가분수로 바꾼 후 가분수의 분자를 자연수의 배수인 수로 바꾸어 계산합니다. 또한, 대분수를 가분수로 바꾼 후 분수의 곱셈으로 나타내어 다음과 같이 계산합니다.

대분수를 가분수로 나타내기

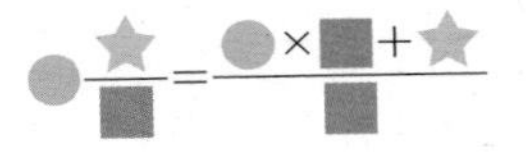

(분수)÷(자연수)
⇨ (분수)×$\frac{1}{(자연수)}$

$2\frac{1}{3}\div4$ [방법 1] $2\frac{1}{3}\div4=\frac{7}{3}\div4=\frac{28}{12}\div4=\frac{28\div4}{12}=\frac{7}{12}$
[방법 2] $2\frac{1}{3}\div4=\frac{7}{3}\div4=\frac{7}{3}\times\frac{1}{4}=\frac{7}{12}$

즉, (대분수)÷(자연수)는 대분수를 가분수로 바꾼 후 (분수)÷(자연수)와 같은 방법으로 계산합니다.

풍산자 비법
(대분수)÷(자연수)
⇨ 대분수를 가분수로 바꾼 후 (분수)÷(자연수)와 같은 방법으로 계산한다.

예제 따라 풀어보는 연산

예제 1 $2\frac{1}{4}\div3=\frac{9}{4}\div3=\frac{9\div3}{4}=\frac{3}{4}$

01 $1\frac{3}{5}\div2=$	**02** $1\frac{1}{8}\div3=$
03 $2\frac{4}{7}\div6=$	**04** $2\frac{1}{2}\div5=$

예제 2 $1\frac{1}{2}\div5=\frac{3}{2}\div5=\frac{15}{10}\div5=\frac{15\div5}{10}=\frac{3}{10}$

05 $2\frac{1}{3}\div5=$	**06** $1\frac{3}{4}\div2=$
07 $3\frac{1}{5}\div7=$	**08** $4\frac{2}{11}\div3=$

예제 3 $1\frac{2}{3}\div2=\frac{5}{3}\div2=\frac{5}{3}\times\frac{1}{2}=\frac{5}{6}$

09 $6\frac{3}{7}\div9=$	**10** $5\frac{5}{6}\div7=$
11 $8\frac{1}{4}\div6=$	**12** $4\frac{2}{3}\div2=$

스스로 풀어보는 연산

13 $1\frac{1}{7}\div5=$	14 $1\frac{4}{5}\div6=$
15 $1\frac{2}{3}\div4=$	16 $1\frac{1}{12}\div9=$
17 $3\frac{1}{2}\div3=$	18 $1\frac{3}{5}\div10=$
19 $1\frac{1}{10}\div6=$	20 $1\frac{5}{6}\div2=$
21 $1\frac{1}{8}\div2=$	22 $2\frac{1}{3}\div4=$
23 $5\frac{3}{4}\div3=$	24 $2\frac{1}{2}\div10=$
25 $3\frac{1}{4}\div5=$	26 $4\frac{2}{5}\div11=$

응용 연산

[27-28] 다음을 계산하시오.

27 (1) $2\frac{2}{9} \div 5 \times 3 =$

(2) $3\frac{3}{5} \div 6 \div 7 =$

28 (1) $8\frac{1}{6} \div 7 \times 2 =$

(2) $3\frac{3}{5} \div 9 \div 4 =$

[29-30] 빈 곳에 알맞은 수를 써넣으시오.

29

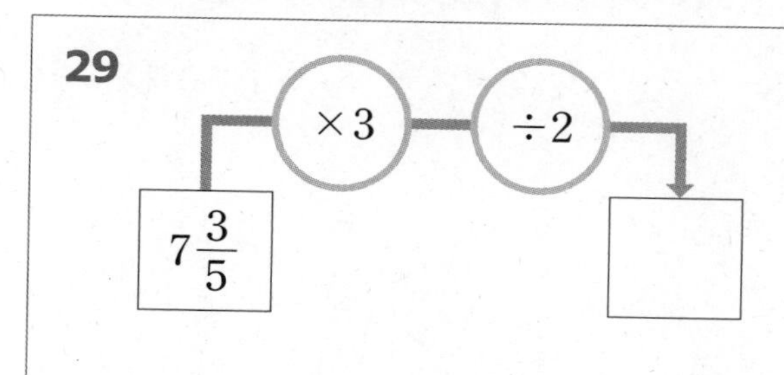

30

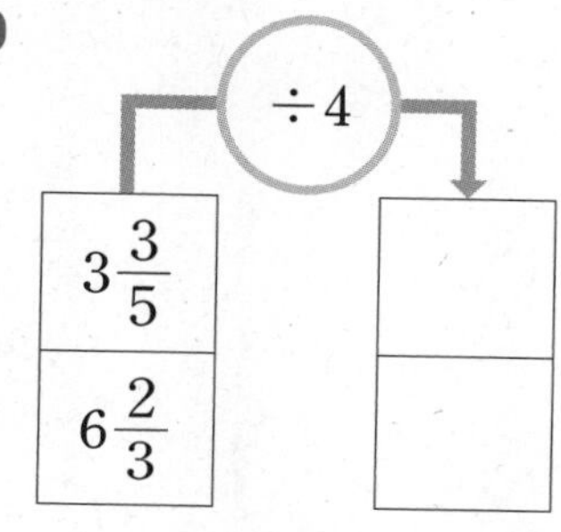

31 삼각형의 넓이는 몇 cm^2인지 구하시오.

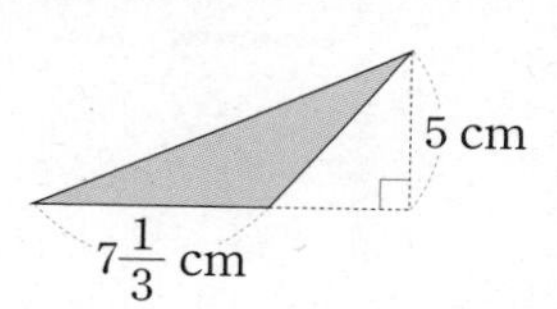

32 평행사변형의 넓이가 $34\frac{2}{3}$ cm^2일 때, 이 평행사변형의 밑변의 길이를 구하시오.

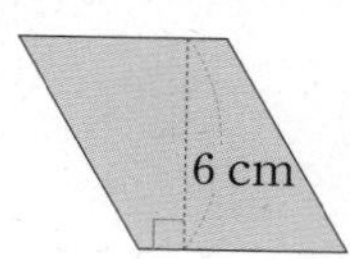

33 밀가루 $2\frac{4}{7}$ kg을 6봉지에 똑같이 나누어 담았습니다. 한 봉지에 나누어 담은 밀가루는 몇 kg인지 구하시오.

34 유준이는 3시간 동안 $11\frac{1}{7}$ km를 걸었습니다. 같은 빠르기로 4시간 동안 걷는다면 몇 km를 걸을 수 있는지 구하시오.

재미있게, 우리 연산하자!

지금까지 우리는 분수의 나눗셈을 배웠습니다.

힘들었을 텐데, 잘 풀었어요!

자, 그럼 마지막으로 지금까지 배운 분수의 나눗셈을 모두 이용해서
아래 사다리타기 게임을 해 볼까요?
㉠, ㉡, ㉢, ㉣에 알맞은 수를 구해보시오.
ready~ start!

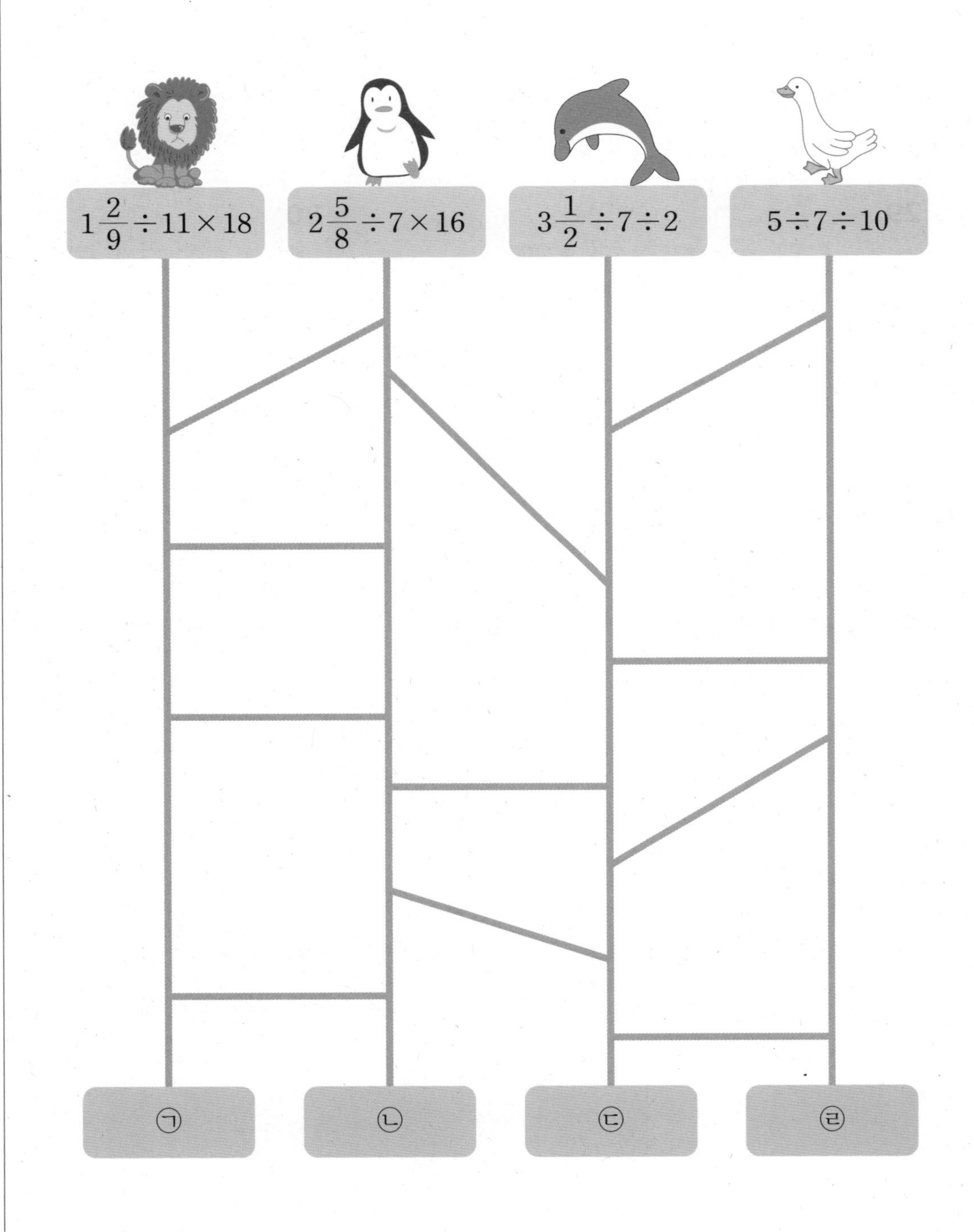

2

각기둥과 각뿔

공부할 내용	공부한 날
04 각기둥	월 일
05 각기둥의 전개도	월 일
06 각뿔	월 일

04 각기둥

우리는 **[수학 5-2] 5단원** 직육면체에서 직사각형 6개로 둘러싸인 도형인 직육면체를 알아보았습니다.

직육면체에서 선분으로 둘러싸인 부분을 면, 면과 면이 만나는 선분을 모서리, 모서리와 모서리가 만나는 점을 꼭짓점이라고 하였습니다.

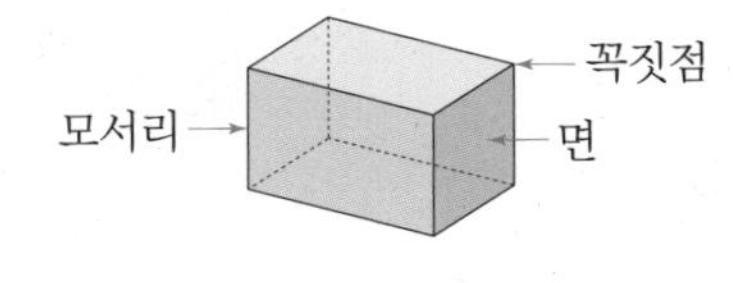

그렇다면 다음과 같이 위와 아래에 있는 면이 서로 평행하고 합동인 다각형으로 이루어진 입체도형을 무엇이라고 할까요?

직육면체와 정육면체는 각기둥입니다.

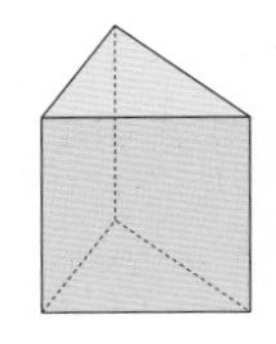
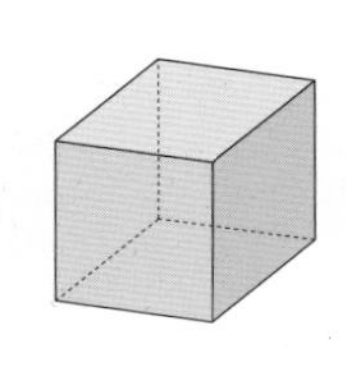
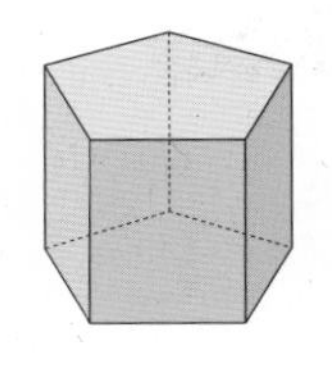
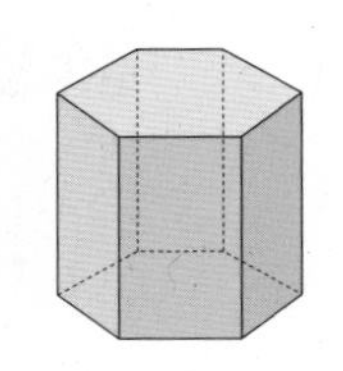

위와 같은 입체도형을 **각기둥**이라고 합니다.

각기둥은 밑면의 모양이 삼각형, 사각형, 오각형……일 때 삼각기둥, 사각기둥, 오각기둥……이라고 합니다.

각기둥에서 면 ㄱㄴㄷ과 면 ㄹㅁㅂ과 같이 서로 평행하고 합동인 두 면을 **밑면**이라고 합니다.

이때 두 밑면은 나머지 면들과 모두 수직으로 만납니다.

각기둥에서 면 ㄱㄹㅁㄴ, 면 ㄴㅁㅂㄷ, 면 ㄱㄹㅂㄷ과 같이 두 밑면과 만나는 면을 **옆면**이라고 합니다.

이때 각기둥의 옆면은 모두 직사각형입니다.

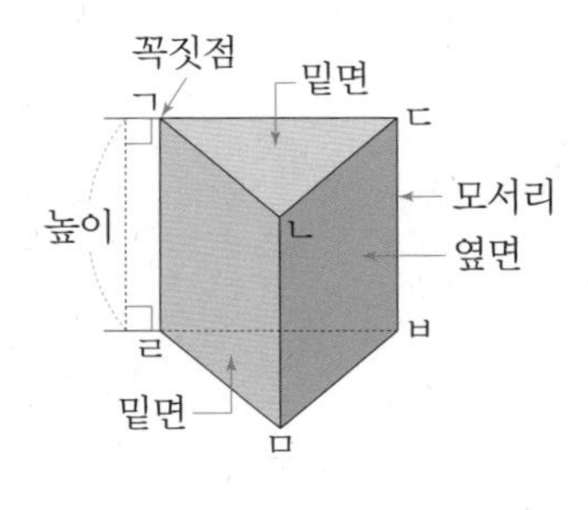

각기둥에서 면과 면이 만나는 선분을 **모서리**, 모서리와 모서리가 만나는 점을 **꼭짓점**, 두 밑면 사이의 거리를 **높이**라고 합니다.

구분	☆각기둥
밑면의 모양	☆각형
밑면의 수(개)	2
옆면의 모양	직사각형
옆면의 수(개)	☆
한 밑면의 변의 수(개)	☆
면의 수(개)	☆+2
꼭짓점의 수(개)	☆×2
모서리의 수(개)	☆×3

합동인 두 밑면의 대응하는 꼭짓점을 이은 모서리의 길이는 각기둥의 높이와 같습니다.

풍산자 비법

★각기둥 ⇨ 면의 수는 ★+2, 꼭짓점의 수는 ★×2, 모서리의 수는 ★×3

예제 따라 풀어보는 연산

예제 1

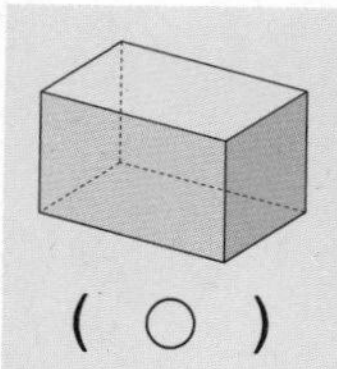

각기둥이 맞으면 ○표, 틀리면 ×표 하시오.

⇨ 위와 아래에 있는 면이 서로 평행하고 합동인 다각형으로 이루어진 입체도형이므로 각기둥입니다.

(○)

01

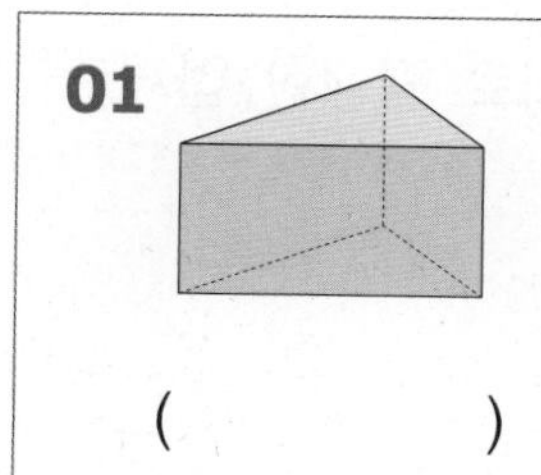

(　　　　)

02

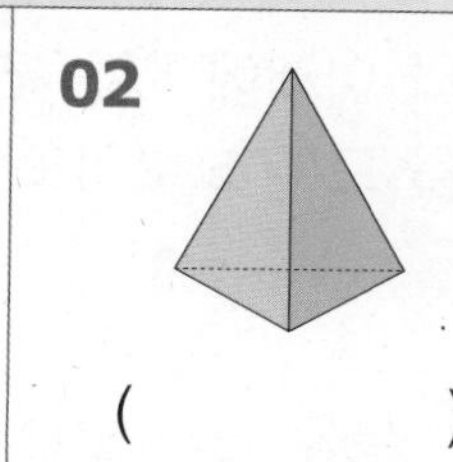

(　　　　)

03

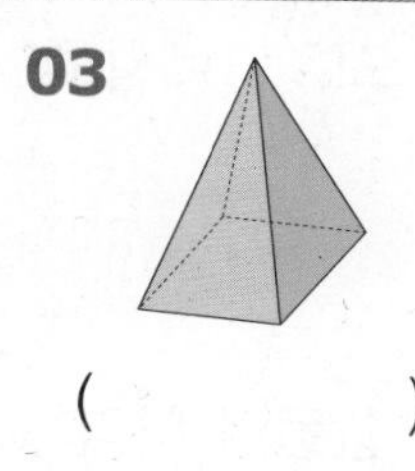

(　　　　)

04

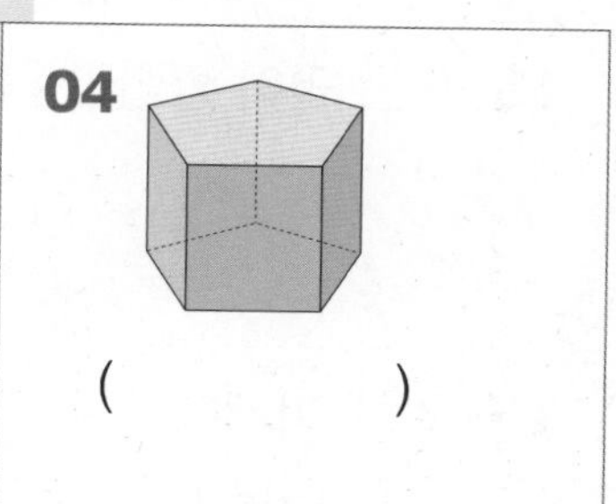

(　　　　)

예제 2

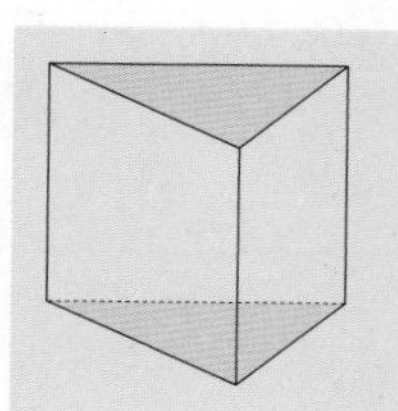

각기둥에서 밑면을 모두 찾아 색칠하시오.

⇨ 두 삼각형은 서로 평행하고 합동이며, 나머지 면들과 모두 수직으로 만나므로 밑면입니다.

05

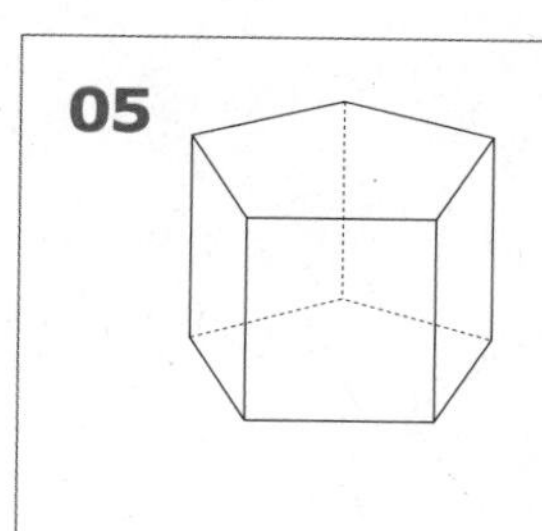

06

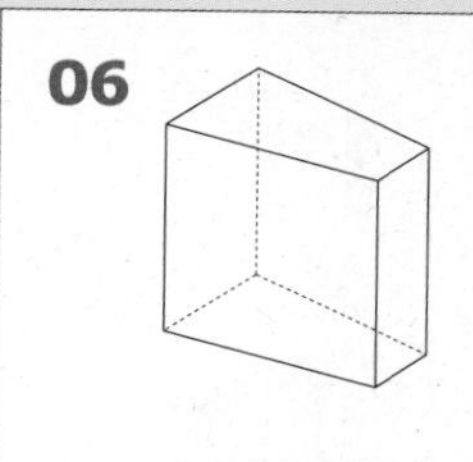

07

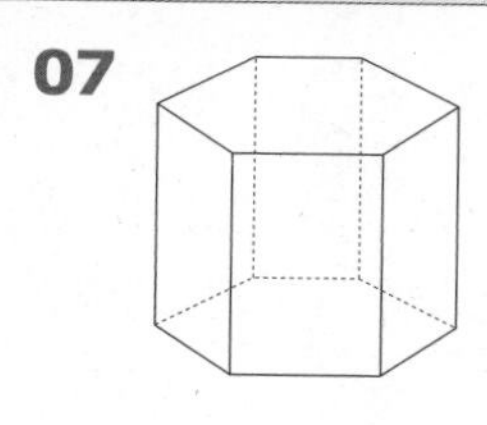

08

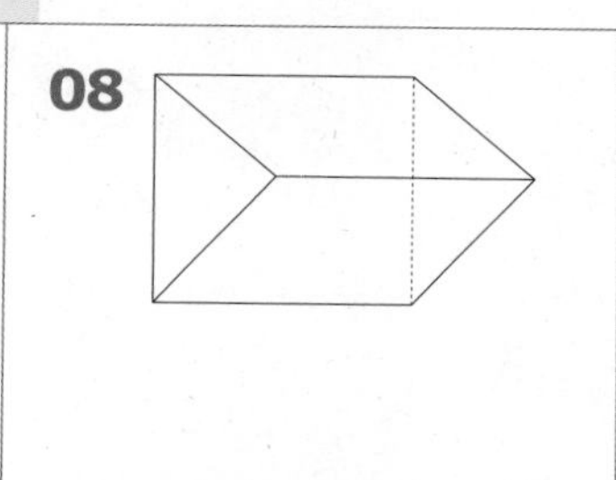

예제 3

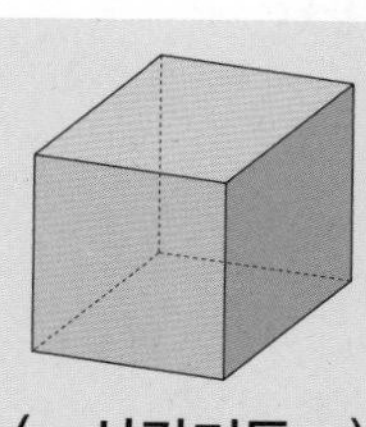

각기둥의 이름을 쓰시오.

⇨ 밑면의 모양이 사각형이므로 사각기둥입니다.

(사각기둥)

09

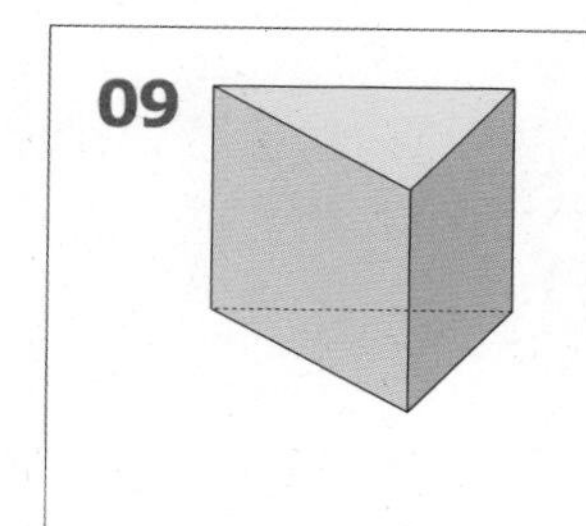

10

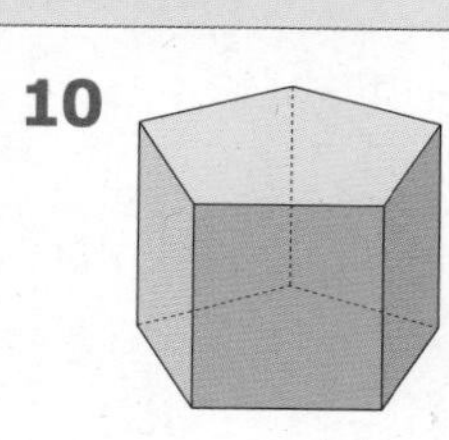

11

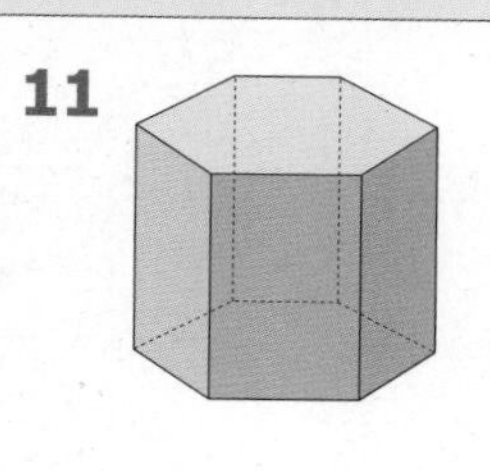

12

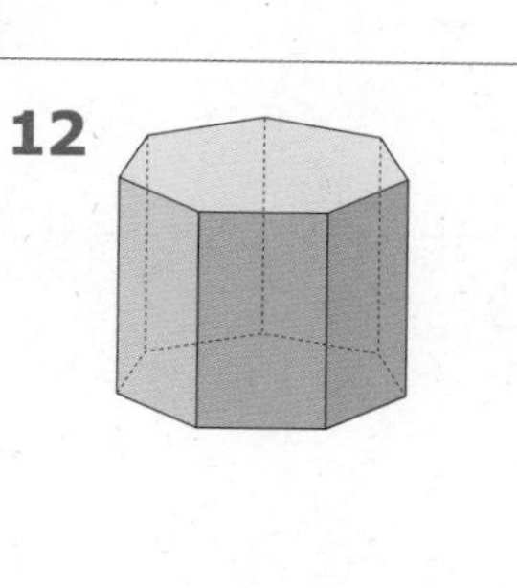

스스로 풀어보는 연산

[13-16] 그림을 보고 물음에 답하시오.

㉠ 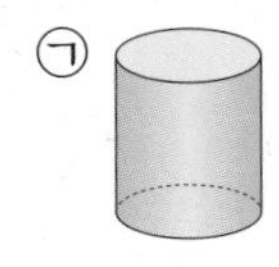
㉡ 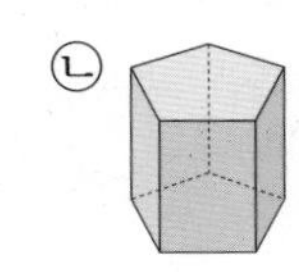
㉢ 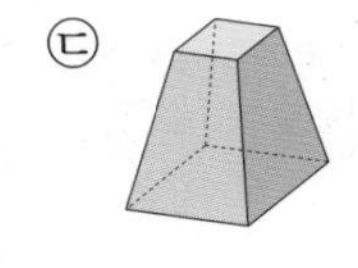
㉣ 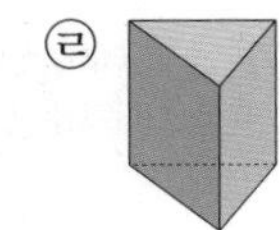
㉤ 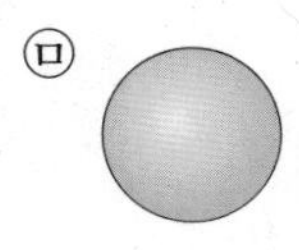
㉥ 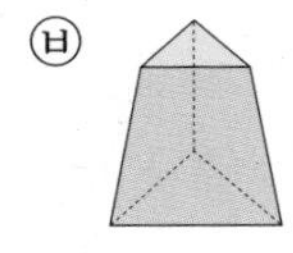

13 모든 면이 평면인 입체도형을 모두 고르시오.	**14** 위와 아래에 있는 면이 서로 평행한 입체도형을 모두 고르시오.
15 위와 아래에 있는 면이 서로 합동인 다각형으로 이루어진 입체도형을 모두 고르시오.	**16** 각기둥을 모두 고르시오.

[17-20] 각기둥의 높이는 몇 cm인지 구하시오.

17 **18** **19** **20**

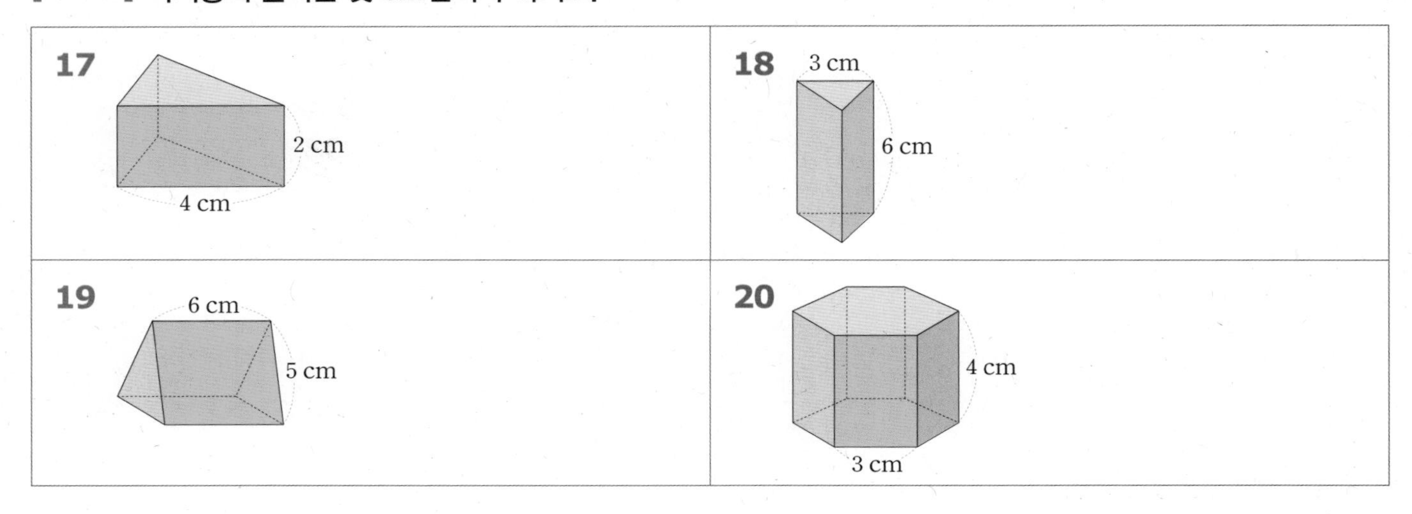

[21-24] 각기둥에서 옆면은 모두 몇 개인지 구하시오.

21 **22** **23** **24**

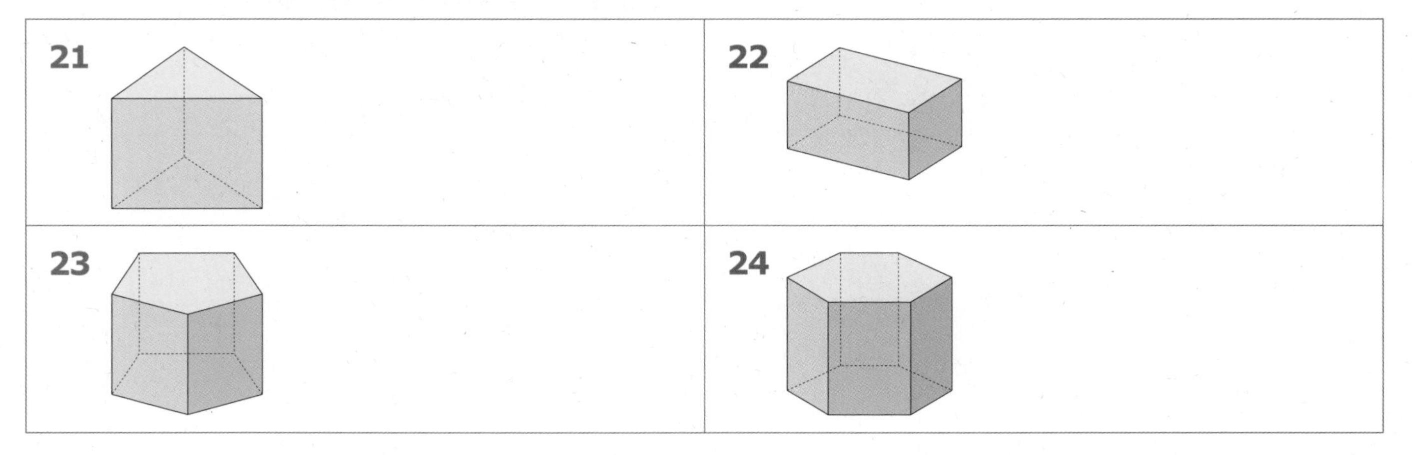

응용 연산

[25-26] 빈 곳에 알맞은 수를 써넣으시오.

25

입체도형	한 밑면의 변의 수(개)	면의 수(개)	모서리의 수(개)	꼭짓점의 수(개)
사각기둥				

26

입체도형	한 밑면의 변의 수(개)	면의 수(개)	모서리의 수(개)	꼭짓점의 수(개)
육각기둥				

[27-28] 각기둥에서 높이를 나타내는 모서리는 모두 몇 개인지 구하시오.

27

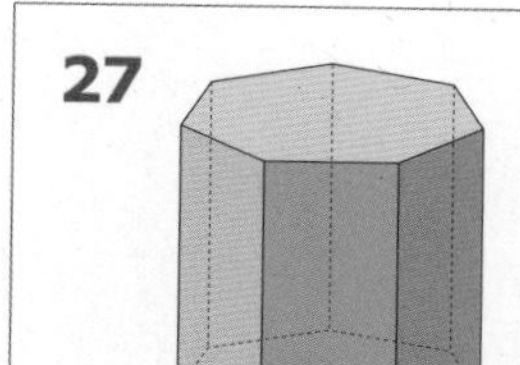

28

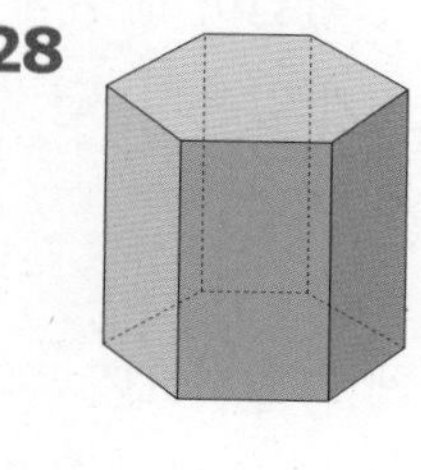

[29-30] 밑면의 모양이 그림과 같은 각기둥의 모서리의 수와 꼭짓점의 수의 합을 구하시오.

29

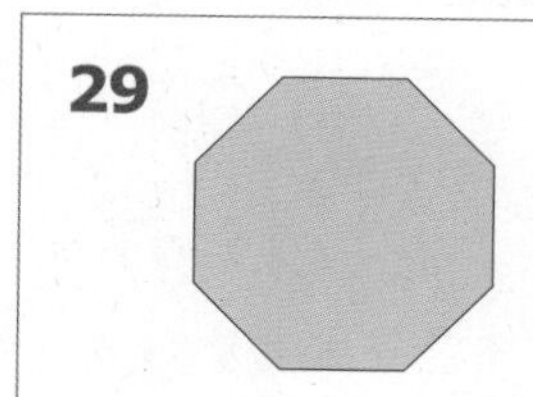

30

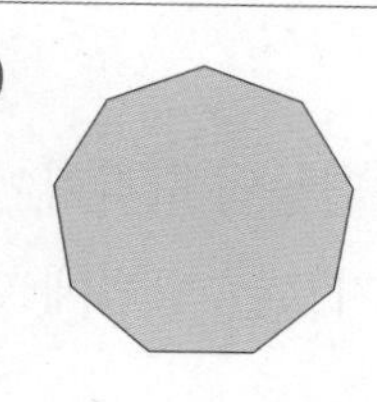

[31-32] 꼭짓점의 개수가 다음과 같은 각기둥의 이름을 쓰시오.

31 꼭짓점 10개

32 꼭짓점 14개

05 각기둥의 전개도

우리는 **[수학 5-2] 5단원** 직육면체에서 직육면체의 전개도를 알아보았습니다. 직육면체의 전개도는 여러 가지 방법으로 그릴 수 있었고 그중 하나를 그리면 다음과 같습니다.

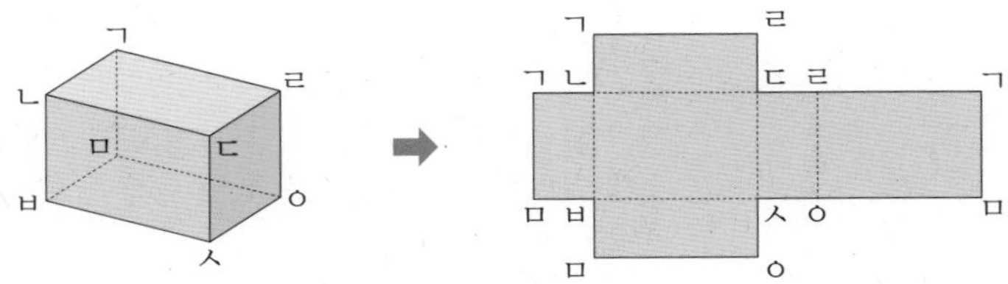

전개도에서 잘린 모서리는 실선으로, 잘리지 않은 모서리는 점선으로 표시합니다.

직육면체의 전개도를 바르게 그렸는지 확인하기 위해서는 모양과 크기가 같은 면이 3쌍인지, 접었을 때 맞닿는 선분의 길이가 같은지, 겹쳐지는 면은 없는지 확인합니다.

그렇다면 각기둥의 전개도는 어떻게 그릴까요?

각기둥의 모서리를 잘라서 평면 위에 펼쳐 놓은 그림을 각기둥의 **전개도**라고 합니다.

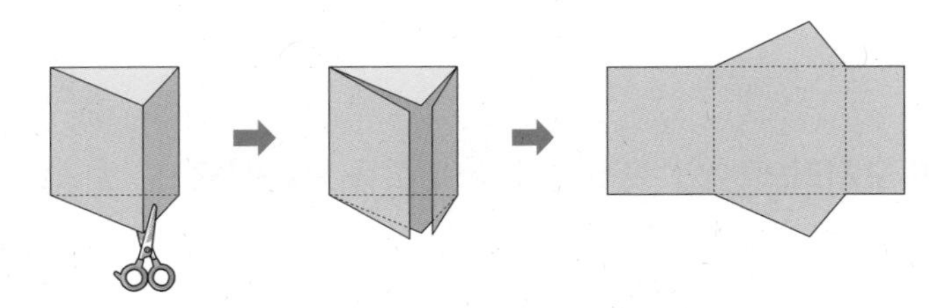

각기둥의 전개도에서 두 밑면은 서로 합동인 다각형이고, 옆면은 모두 직사각형입니다. 또한, 각기둥의 전개도는 모서리를 자르는 방법에 따라 다음과 같이 여러 가지 모양으로 그릴 수 있습니다.

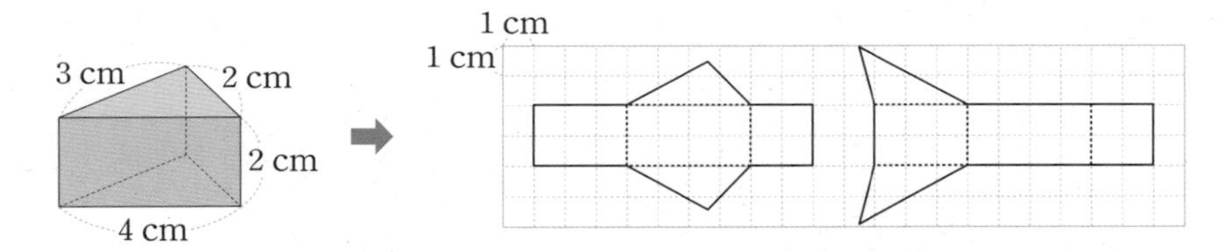

풍산자 비법

★각기둥의 전개도

⇨ 밑면은 2개이고, 밑면의 모양은 합동인 ★각형이다.

⇨ 옆면은 ★개이고, 옆면의 모양은 직사각형이다.

예제 따라 풀어보는 연산

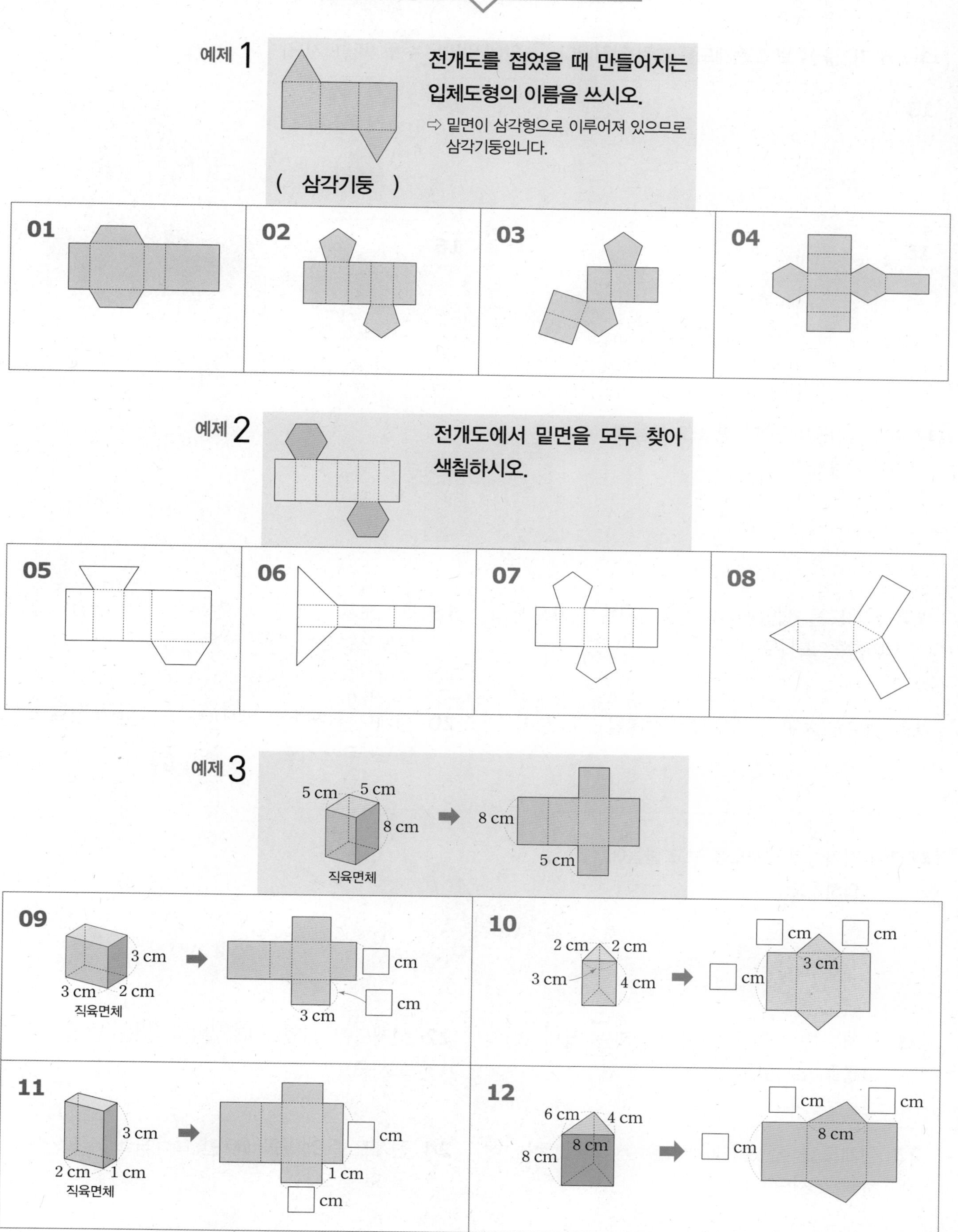
예제 1
전개도를 접었을 때 만들어지는 입체도형의 이름을 쓰시오.
⇨ 밑면이 삼각형으로 이루어져 있으므로 삼각기둥입니다.
(삼각기둥)
01
02
03
04
예제 2
전개도에서 밑면을 모두 찾아 색칠하시오.
05
06
07
08
예제 3
5 cm
5 cm
8 cm
직육면체
8 cm
5 cm
09
3 cm
3 cm
2 cm
직육면체
cm
cm
3 cm
10
2 cm
2 cm
3 cm
4 cm
cm
cm
cm
3 cm
11
3 cm
2 cm
1 cm
직육면체
cm
1 cm
cm
12
6 cm
4 cm
8 cm
8 cm
cm
cm
cm
8 cm

스스로 풀어보는 연산

[13-16] 각기둥을 보고 전개도를 그린 것입니다. □ 안에 알맞은 수를 써넣으시오.

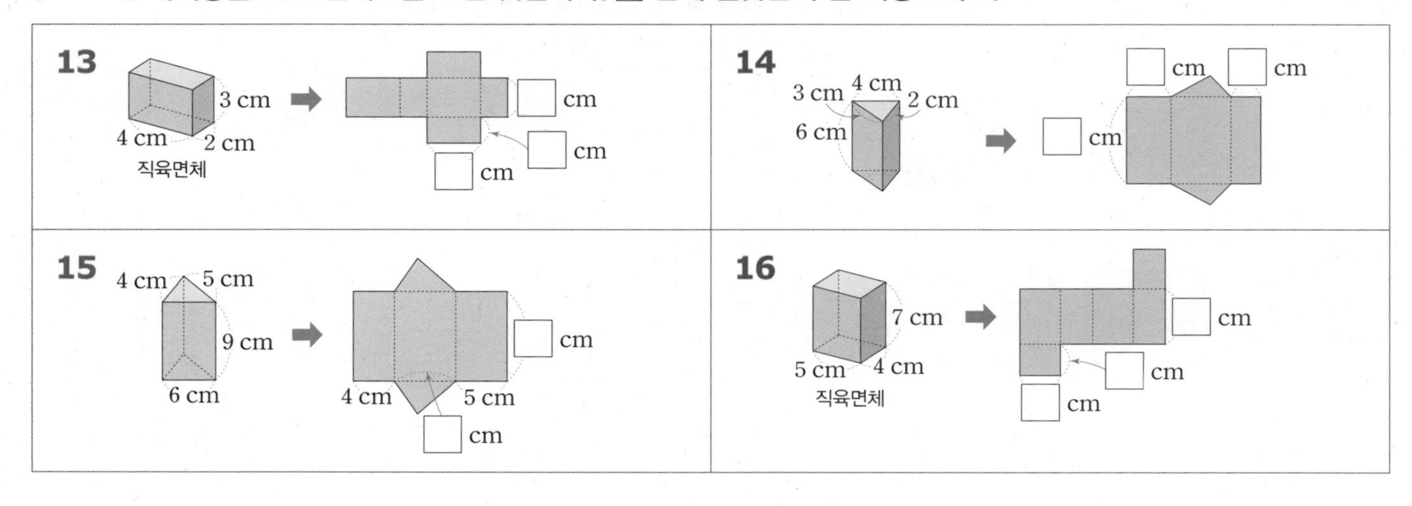

[17-20] 각기둥의 전개도를 보고 물음에 답하시오.

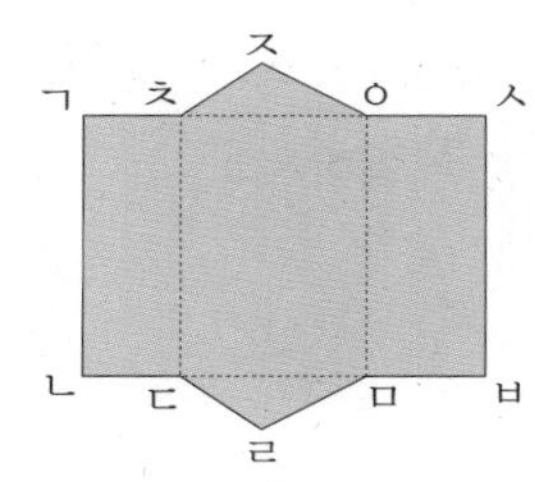

17 전개도를 접었을 때 만들어지는 입체도형의 이름을 쓰시오.	**18** 전개도를 접었을 때 선분 ㄱㄴ과 맞닿는 선분을 쓰시오.
19 선분 ㅇㅈ과 길이가 같은 선분을 모두 쓰시오.	**20** 전개도를 접었을 때 면 ㄷㄹㅁ과 만나는 면을 모두 쓰시오.

[21-24] 각기둥의 전개도를 보고 물음에 답하시오.

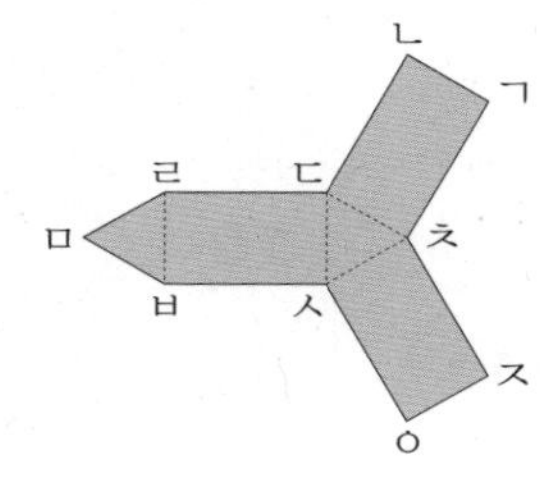

21 전개도를 접었을 때 만들어지는 입체도형의 이름을 쓰시오.	**22** 전개도를 접었을 때 밑면이 되는 면을 모두 쓰시오.
23 전개도를 접었을 때 선분 ㄱㄴ과 맞닿는 선분을 쓰시오.	**24** 전개도를 접었을 때 면 ㄹㅁㅂ과 수직인 면을 모두 쓰시오.

응용 연산

[25-26] 전개도를 접었을 때 색칠한 면과 마주 보는 면의 기호를 쓰시오.

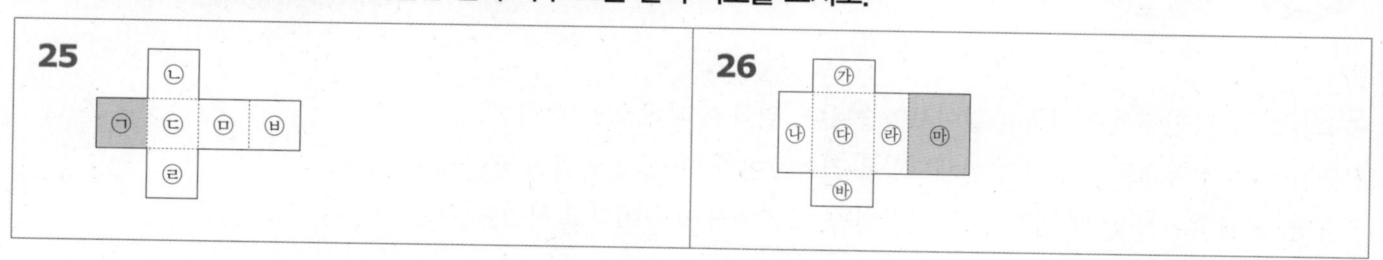

[27-28] 전개도를 접었을 때 점 ㄱ과 맞닿는 점을 모두 쓰시오.

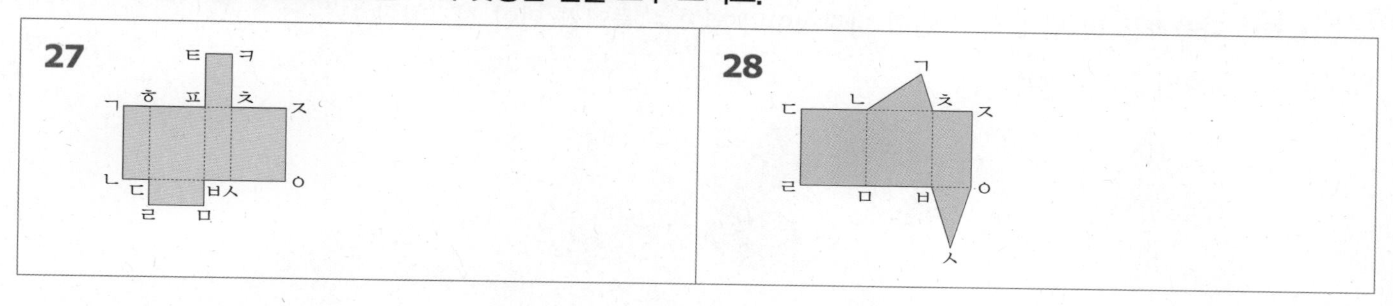

[29-30] 전개도를 접어서 각기둥을 만들었습니다. □ 안에 알맞은 수를 써넣으시오.

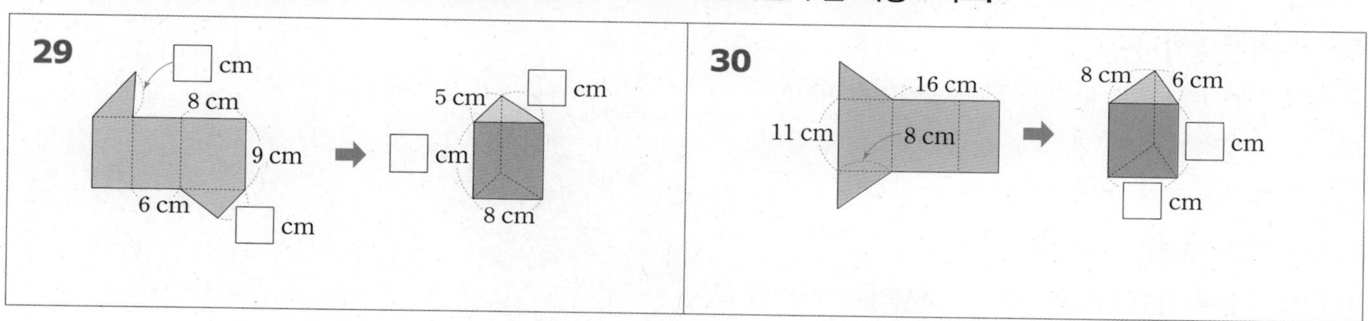

[31-32] 조건을 만족하는 각기둥의 전개도를 접었을 때 밑면의 한 변의 길이는 몇 cm인지 구하시오.

31

㉠ 각기둥의 옆면은 모두 합동입니다.
㉡ 각기둥의 높이는 4 cm입니다.
㉢ 각기둥의 모든 모서리의 길이의 합은 48 cm 입니다.

32

㉠ 각기둥의 옆면은 모두 합동입니다.
㉡ 각기둥의 높이는 6 cm입니다.
㉢ 각기둥의 모든 모서리의 길이의 합은 70 cm 입니다.

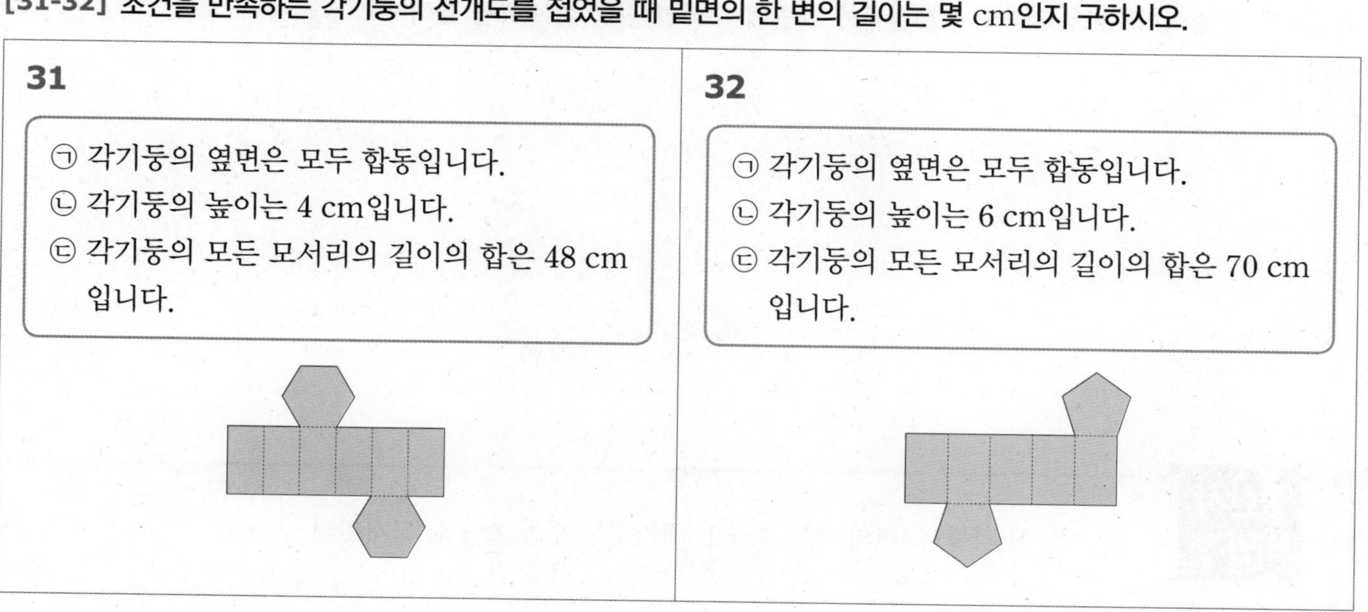

06 각뿔

우리는 앞 단원에서 각기둥을 알아보았습니다. 위와 아래에 있는 면이 서로 평행하고 합동인 다각형으로 이루어진 입체도형을 각기둥이라 하고, 밑면의 모양이 삼각형, 사각형, 오각형……일 때 삼각기둥, 사각기둥, 오각기둥……이라고 하였습니다.

그렇다면 다음과 같이 밑에 놓인 면이 다각형이고 옆으로 둘러싼 면이 삼각형인 입체도형을 무엇이라고 할까요?

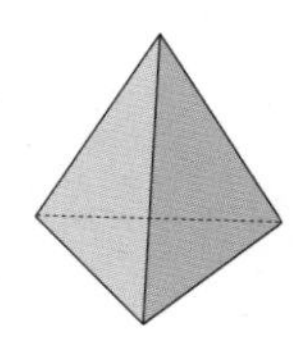
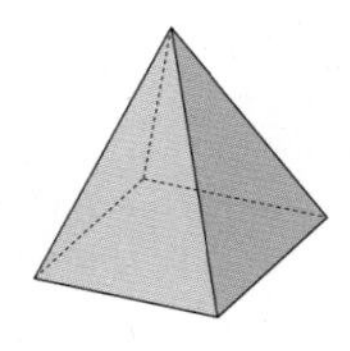
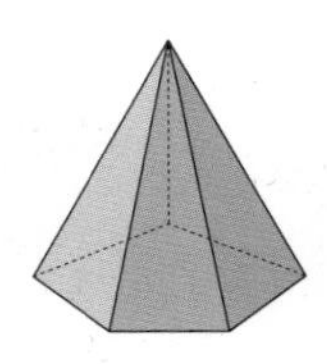
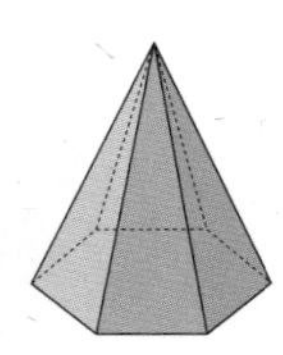

위와 같은 입체도형을 **각뿔**이라고 합니다.

각뿔은 밑면의 모양이 삼각형, 사각형, 오각형……일 때 삼각뿔, 사각뿔, 오각뿔……이라고 합니다.

각뿔에서 면 ㄴㄷㄹㅁ과 같은 면을 **밑면**이라 하고, 면 ㄱㄴㄷ, 면 ㄱㄷㄹ, 면 ㄱㅁㄹ, 면 ㄱㄴㅁ과 같이 밑면과 만나는 면을 **옆면**이라고 합니다.

이때 각뿔의 옆면은 모두 삼각형입니다.

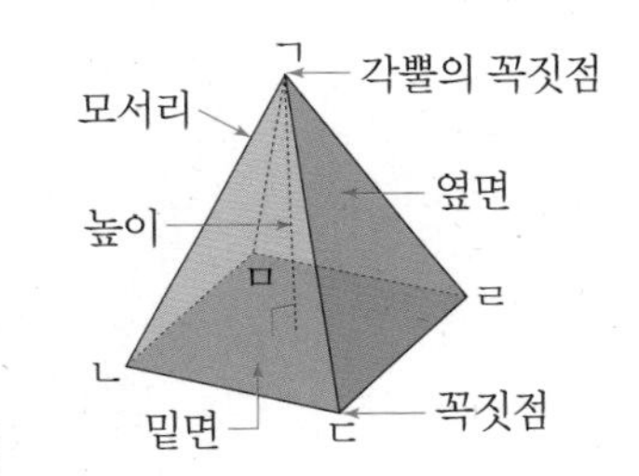

각뿔에서 면과 면이 만나는 선분을 **모서리**, 모서리와 모서리가 만나는 점을 **꼭짓점**이라고 합니다. 꼭짓점 중에서도 옆면이 모두 만나는 점을 각뿔의 꼭짓점이라 하고, **각뿔의 꼭짓점**에서 밑면에 수직인 선분의 길이를 **높이**라고 합니다.

구분	☆각뿔
밑면의 모양	☆각형
밑면의 수(개)	1
옆면의 모양	삼각형
옆면의 수(개)	☆
밑면의 변의 수(개)	☆
면의 수(개)	☆+1
꼭짓점의 수(개)	☆+1
모서리의 수(개)	☆×2

풍산자 비법

★각뿔 ⇨ 면의 수는 ★+1, 꼭짓점의 수는 ★+1, 모서리의 수는 ★×2

예제 따라 풀어보는 연산

예제 1

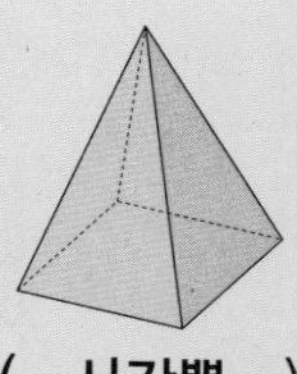

(사각뿔)

각뿔이 맞으면 각뿔의 이름을 쓰고, 아니면 ×표 하시오.

⇨ 밑면이 사각형이고 옆으로 둘러싼 면이 삼각형인 입체도형이므로 사각뿔입니다.

01	02	03	04
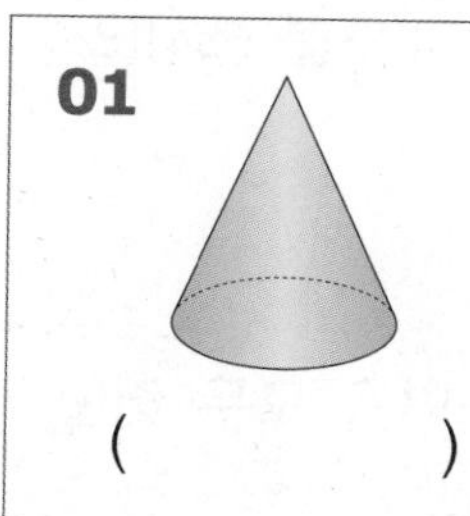 ( )	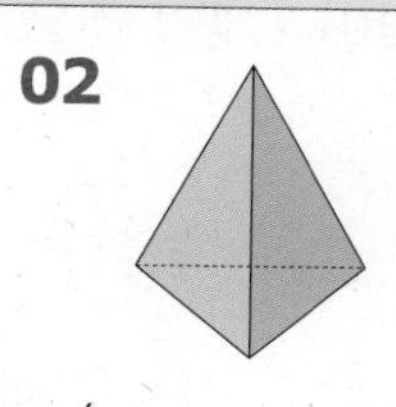 ( )	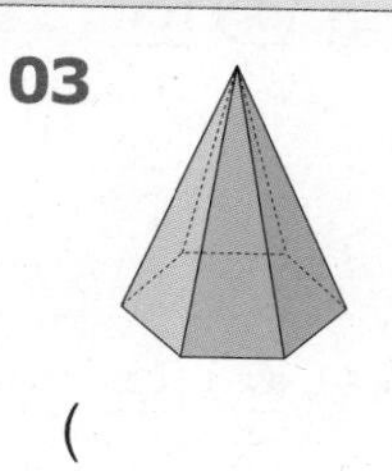 ( )	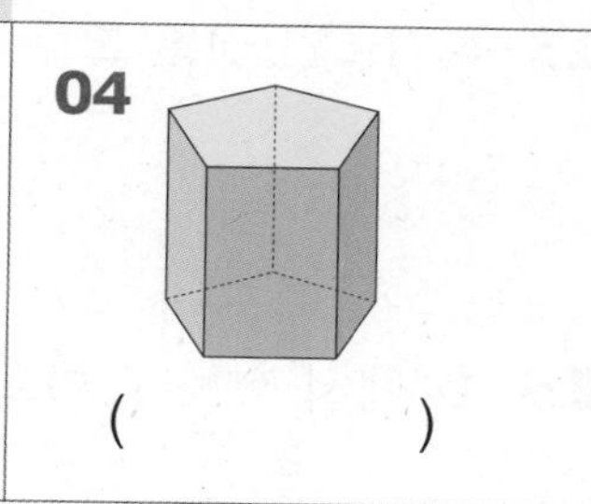 ( )

예제 2

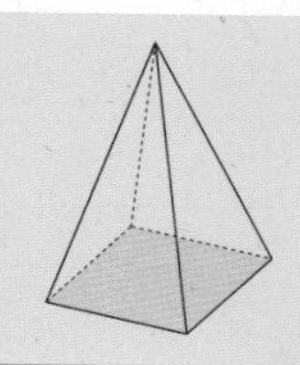

각뿔의 밑면을 찾아 색칠하시오.

05	06	07	08
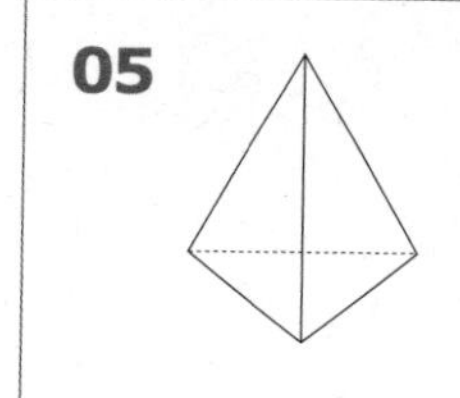	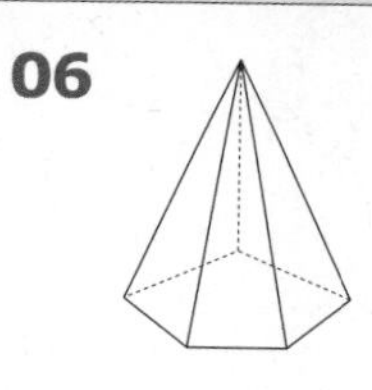	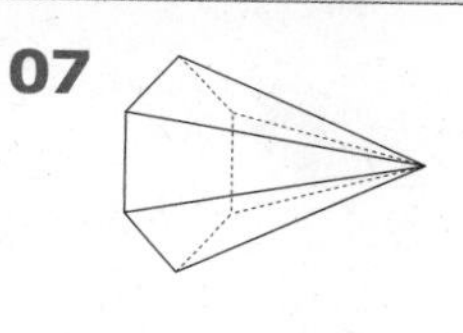	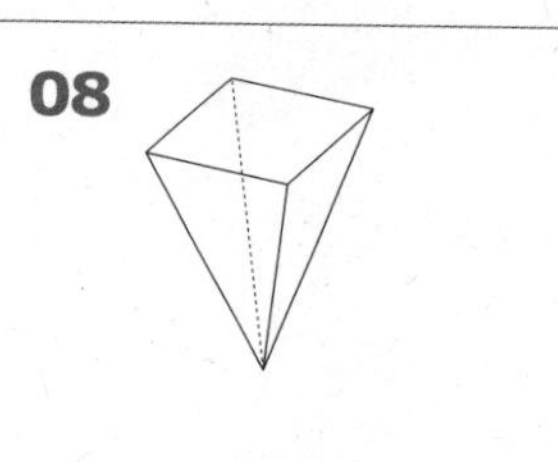

예제 3

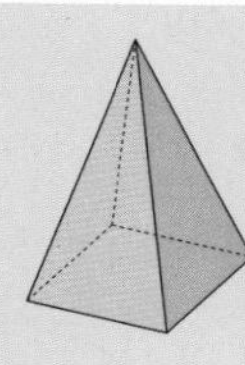

각뿔을 보고 면, 모서리, 꼭짓점의 수를 각각 구하시오.

⇨ 밑면이 사각형이므로 사각뿔입니다. 사각뿔에서 면은 5개, 모서리는 8개, 꼭짓점은 5개입니다.

09	10
면 ( ) 모서리 ( ) 꼭짓점 ( )	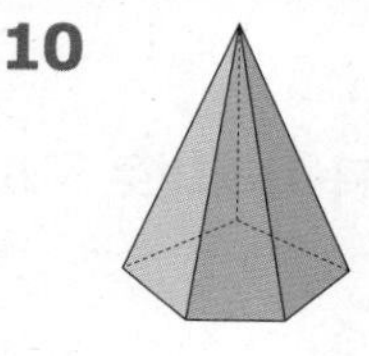 면 ( ) 모서리 ( ) 꼭짓점 ( )
11 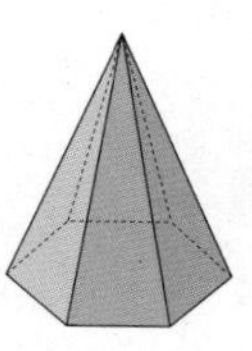 면 ( ) 모서리 ( ) 꼭짓점 ( )	**12** 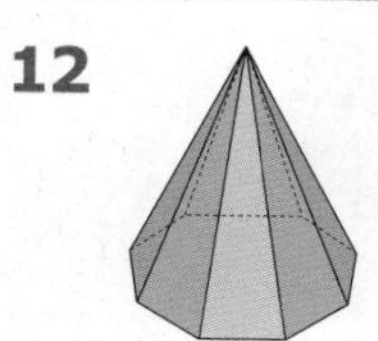 면 ( ) 모서리 ( ) 꼭짓점 ( )

스스로 풀어보는 연산

[13-16] 입체도형을 보고 물음에 답하시오.

㉠ 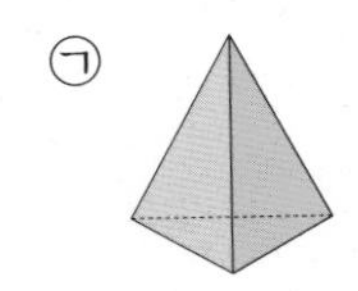 ㉡ 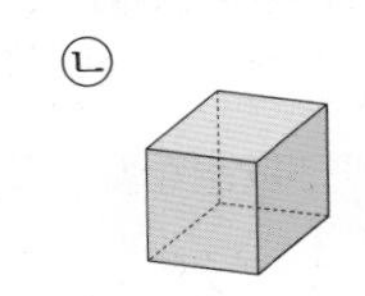 ㉢ 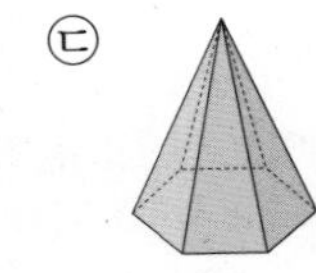 ㉣ 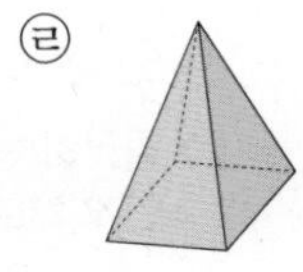 ㉤ 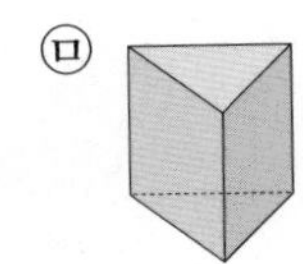 ㉥ 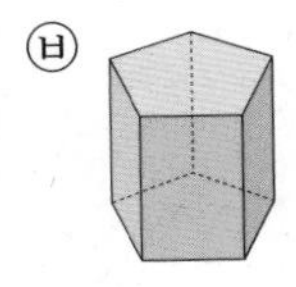

13 각기둥인 것을 모두 찾아 기호를 쓰시오.

14 밑면이 1개인 것을 모두 찾아 기호를 쓰시오.

15 **14**에서 찾은 입체도형의 이름을 쓰시오.

16 **14**에서 찾은 입체도형의 옆면은 모두 어떤 모양인지 쓰시오.

[17-20] 입체도형을 보고 밑면의 모양과 입체도형의 이름을 쓰시오.

17

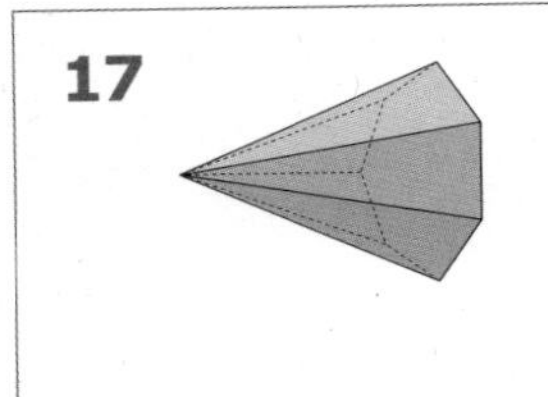

18

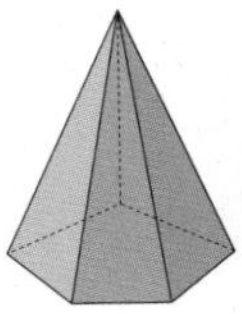

19

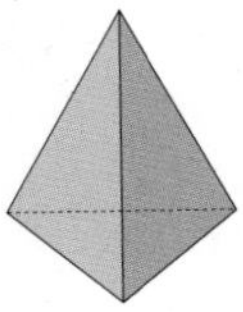

20

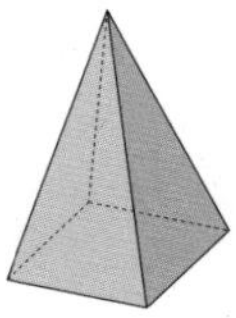

[21-24] 각뿔의 높이는 몇 cm인지 구하시오.

21

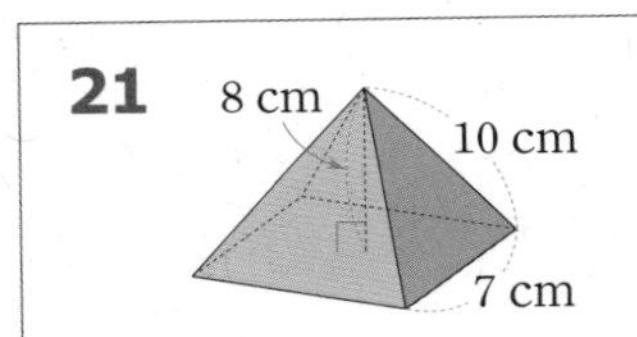

22

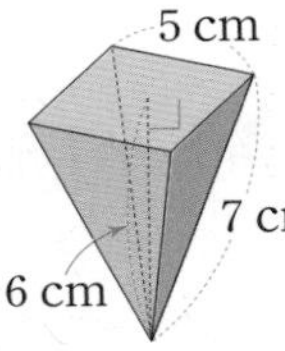

23

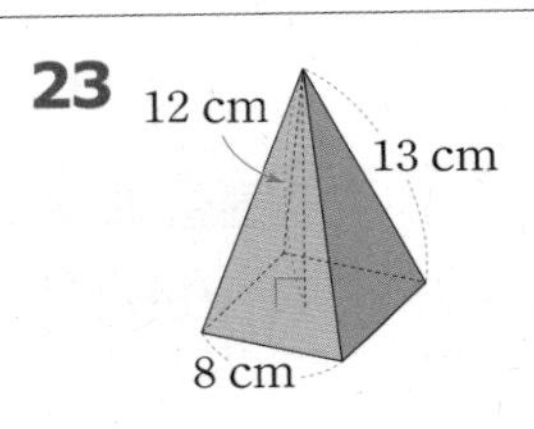

24

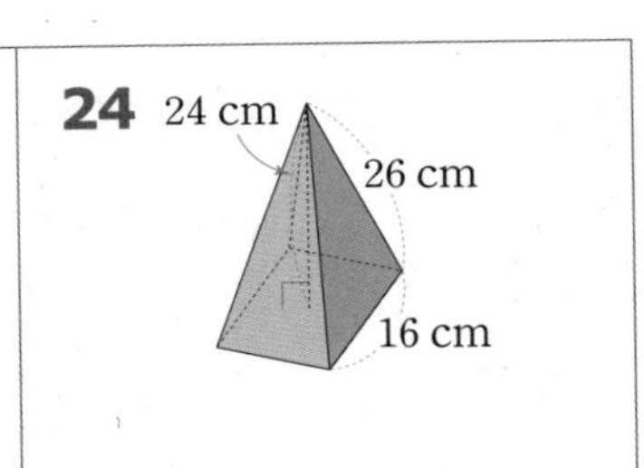

[25-28] 각뿔의 밑면과 옆면은 몇 개인지 차례대로 구하시오.

25

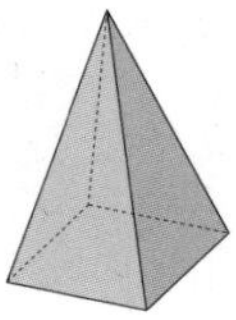

26

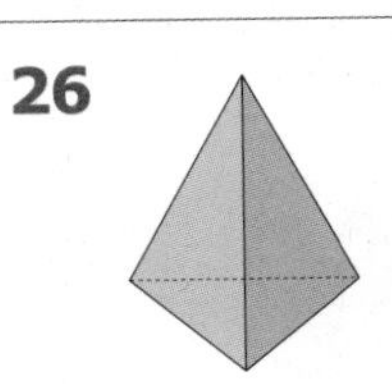

27

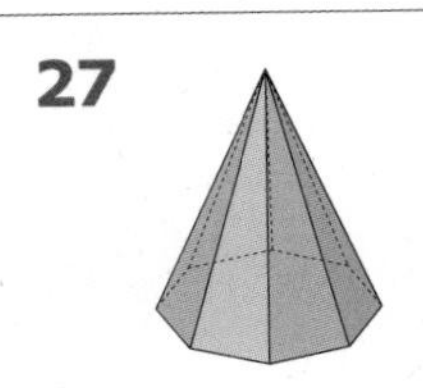

28

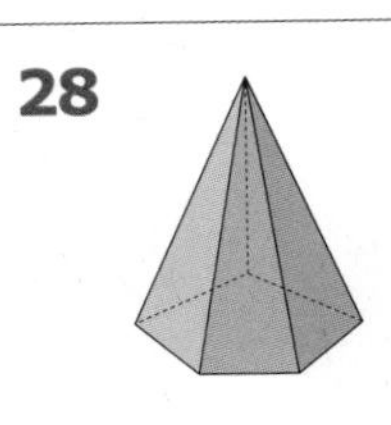

응용 연산

[29-30] 입체도형에 대한 설명으로 옳은 것을 모두 고르시오.

29

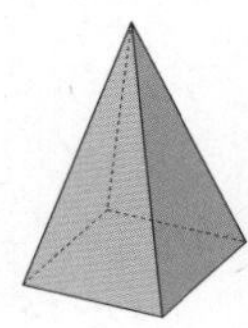

㉠ 밑면의 모양이 사각형입니다.
㉡ 모서리는 8개입니다.
㉢ 옆면의 모양은 모두 사각형입니다.
㉣ 꼭짓점은 8개입니다.

30

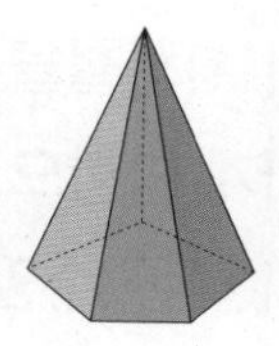

㉠ 밑면의 모양이 오각형입니다.
㉡ 모서리는 5개입니다.
㉢ 꼭짓점은 6개입니다.
㉣ 면의 수와 꼭짓점의 수는 같습니다.

[31-32] 빈 곳에 알맞은 수를 써넣으시오.

31

입체도형	밑면의 변의 수(개)	면의 수(개)	모서리의 수(개)	꼭짓점의 수(개)
사각뿔				
오각뿔				

32

입체도형	밑면의 변의 수(개)	면의 수(개)	모서리의 수(개)	꼭짓점의 수(개)
육각뿔				
팔각뿔				

[33-34] 조건을 만족하는 각뿔의 이름을 쓰시오.

33 모서리는 18개입니다.

34 면은 12개입니다.

[35-36] 밑면의 모양이 그림과 같은 각기둥과 각뿔의 모서리의 수의 합을 구하시오.

35

36

재미있게, 우리 연산하자!

지금까지 우리는 각기둥과 각뿔 을 배웠습니다.

힘들었을 텐데, 잘 풀었어요!

자, 그럼 마지막으로 지금까지 배운 각기둥과 각뿔의 구성 요소를 모두 이용해서 지하철을 타고 여행을 해볼까요?
시청역에서 시계 방향으로 지하철을 타고 출발하여
①부터 ⑤까지 나온 수만큼 정거장을 지나간다고 할 때,
각 번호마다 도착역을 모두 구해봅시다.
Are you ready? Then, Start to walk!!

① 삼각기둥의 면의 수 (　　　)
② 육각뿔의 꼭짓점의 수 (　　　)
③ 오각기둥의 모서리의 수 (　　　)
④ 팔각기둥의 한 밑면의 변의 수 (　　　)
⑤ 십각기둥의 옆면의 수 (　　　)

소수의 나눗셈

공부할 내용	공부한 날
07 (소수)÷(자연수) (1)	월 일
08 (소수)÷(자연수) (2)	월 일
09 (소수)÷(자연수) (3)	월 일
10 (소수)÷(자연수) (4)	월 일
11 (자연수)÷(자연수)와 소수점 위치	월 일

07 (소수)÷(자연수) (1)

우리는 앞 단원에서 $\frac{6}{7}\div3$, $\frac{3}{5}\div2$와 같은 (분수)÷(자연수)를 계산하는 방법을 알아보았습니다.

이런 계산은 분수의 분자가 자연수의 배수일 때에는 분자를 자연수로 나누고, 분수의 분자가 자연수의 배수가 아닐 때에는 크기가 같은 분수 중에 분자가 자연수의 배수인 수로 바꾸어 다음과 같이 계산하였습니다.

- $\frac{6}{7}\div3=\frac{6\div3}{7}=\frac{2}{7}$
- $\frac{3}{5}\div2=\frac{6}{10}\div2=\frac{6\div2}{10}=\frac{3}{10}$

그렇다면 24.4÷2, 2.44÷2와 같은 (소수)÷(자연수)는 어떻게 계산할까요?
(소수)÷(자연수)는 자연수의 나눗셈을 이용하여 계산한 후 소수점을 표시하여 다음과 같이 계산할 수 있습니다.

(소수)÷(자연수)는 소수를 분수로 고쳐서 (분수)÷(자연수)로 계산할 수도 있습니다.

- 24.4÷2 ⇨ 244÷2를 계산한 후 몫을 소수 첫째 자리로 나타냅니다.
  244÷2=122이므로 24.4÷2=12.2
- 2.44÷2 ⇨ 244÷2를 계산한 후 몫을 소수 둘째 자리로 나타냅니다.
  244÷2=122이므로 2.44÷2=1.22

몫의 소수점은 나누어지는 수의 소수점의 자리에 맞추어 찍습니다.

즉, 나누는 수가 같을 때 나누어지는 수가 $\frac{1}{10}$배가 되면 몫도 $\frac{1}{10}$배가 되므로 소수점이 왼쪽으로 한 칸 이동하고, 나누어지는 수가 $\frac{1}{100}$배가 되면 몫도 $\frac{1}{100}$배가 되므로 소수점이 왼쪽으로 두 칸 이동합니다.

풍산자 비법

나누는 수가 같을 때

❶ 나누어지는 수가 $\frac{1}{10}$배 ⇨ 몫도 $\frac{1}{10}$배 ⇨ 소수점이 왼쪽으로 한 칸 이동한다.

❷ 나누어지는 수가 $\frac{1}{100}$배 ⇨ 몫도 $\frac{1}{100}$배 ⇨ 소수점이 왼쪽으로 두 칸 이동한다.

예제 따라 풀어보는 연산

예제 1

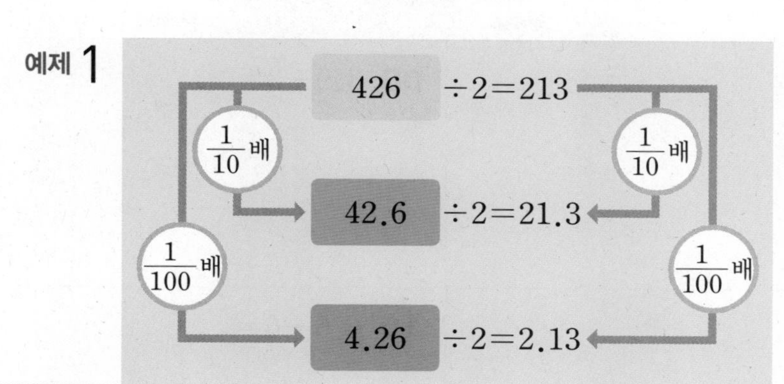

01

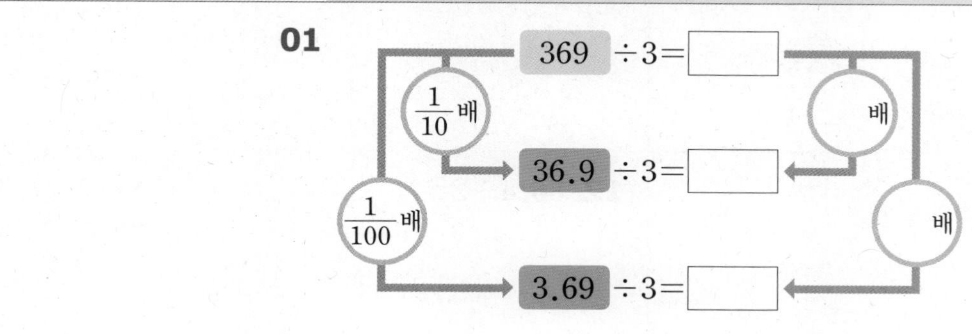

02

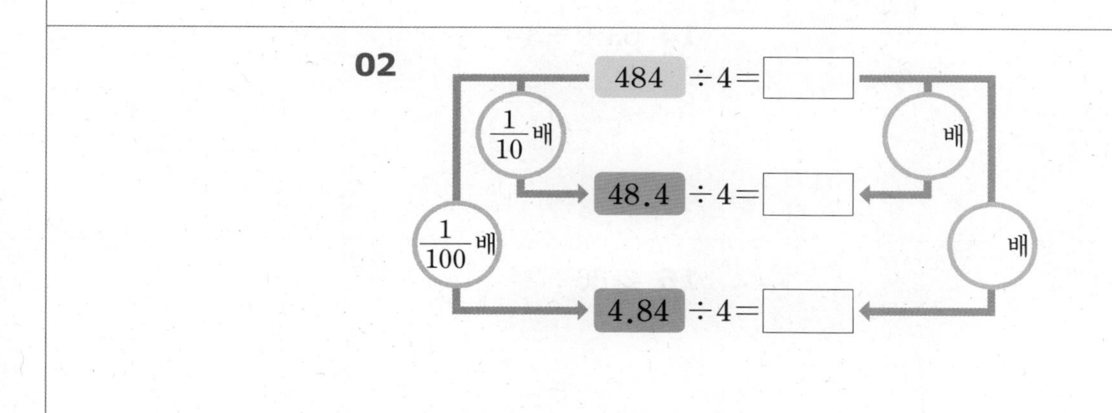

예제 2 $24 \div 2 = 12$ ⇨ $2.4 \div 2 = 1.2$

03 $36 \div 3 = 12$ ⇨ $3.6 \div 3 =$ ☐	**04** $936 \div 3 = 312$ ⇨ $93.6 \div 3 =$ ☐
05 $844 \div 4 = 211$ ⇨ $8.44 \div 4 =$ ☐	**06** $2842 \div 2 = 1421$ ⇨ $28.42 \div 2 =$ ☐

스스로 풀어보는 연산

07 $2.8 \div 2 =$	**08** $3.9 \div 3 =$
09 $2.4 \div 2 =$	**10** $6.6 \div 6 =$
11 $24.8 \div 2 =$	**12** $86.4 \div 2 =$
13 $70.7 \div 7 =$	**14** $63.9 \div 3 =$
15 $8.82 \div 2 =$	**16** $2.26 \div 2 =$
17 $4.88 \div 4 =$	**18** $6.36 \div 3 =$
19 $9.09 \div 9 =$	**20** $8.42 \div 2 =$

응용 연산

[21-22] 빈 곳에 알맞은 수를 써넣으시오.

21

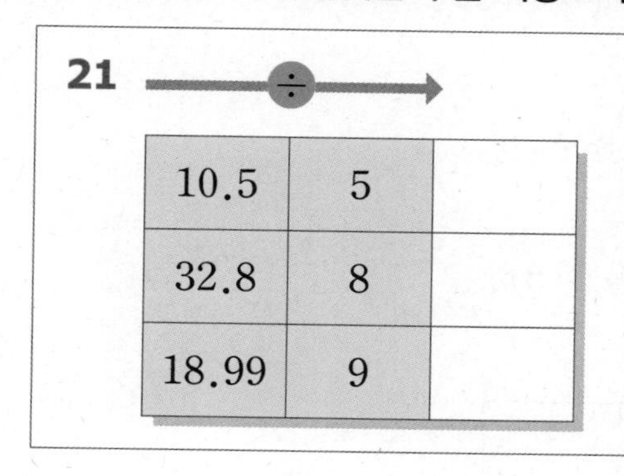

10.5	5	
32.8	8	
18.99	9	

22

6.6	56.8	21.07
6	8	7

[23-24] 나눗셈의 몫을 찾아 이어 보시오.

23

16.4÷4 •	• 3.1
63.93÷3 •	• 4.1
21.7÷7 •	• 21.31

24

9.6÷3 •	• 1.2
4.8÷4 •	• 3.2
14.2÷2 •	• 7.1

[25-26] 몫의 크기를 비교하여 ○ 안에 >, =, <를 알맞게 써넣으시오.

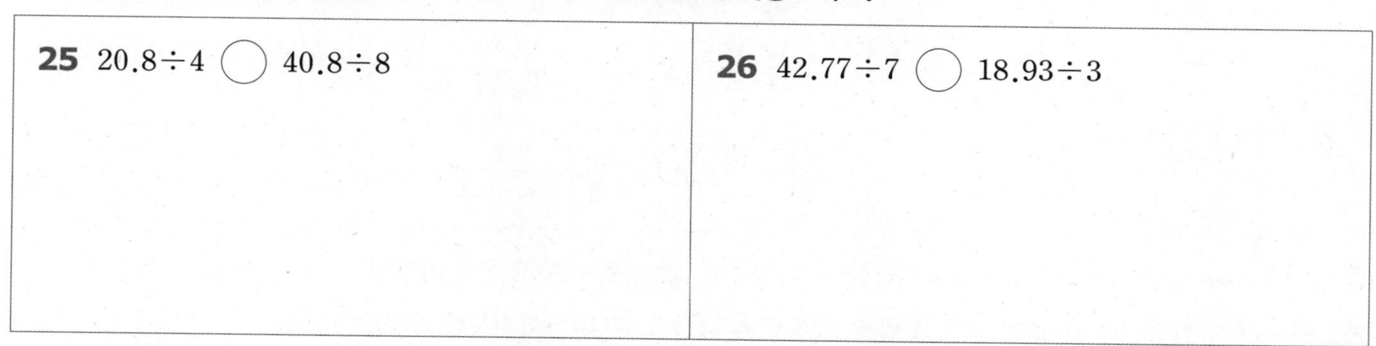

25 20.8÷4 ○ 40.8÷8

26 42.77÷7 ○ 18.93÷3

[27-28] 빈 곳에 알맞은 수를 써넣으시오.

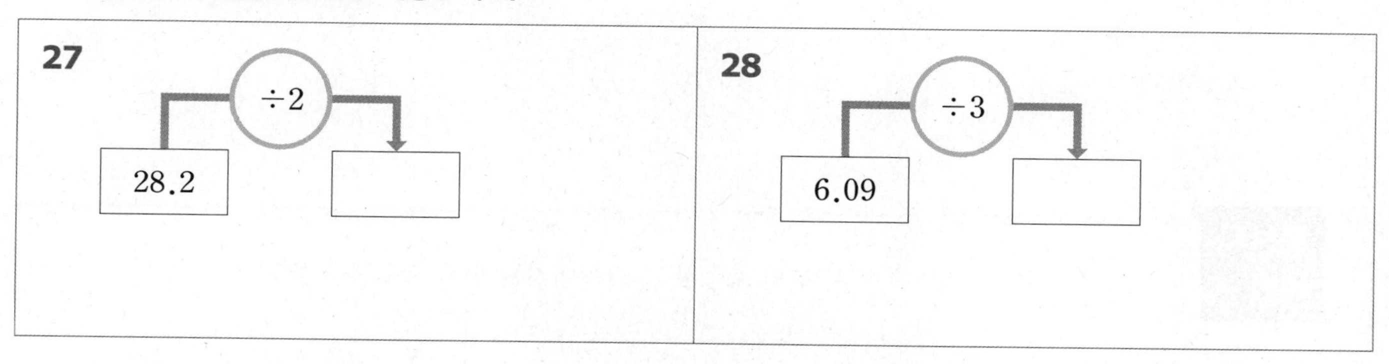

08 (소수)÷(자연수) (2)

우리는 앞 단원에서 64.4÷2, 6.44÷2와 같은 (소수)÷(자연수)를 계산하는 방법을 알아보았습니다.

이런 계산은 각 자리에서 나누어떨어지는 나눗셈이었고, 자연수의 나눗셈을 이용하여 다음과 같이 계산하였습니다.

- 64.4÷2 ⇨ 644÷2=322이므로 64.4÷2=32.2
- 6.44÷2 ⇨ 644÷2=322이므로 6.44÷2=3.22

그렇다면 7.38÷3과 같이 각 자리에서 나누어떨어지지 않는 (소수)÷(자연수)는 어떻게 계산할까요?

각 자리에서 나누어떨어지지 않는 (소수)÷(자연수)는 분수의 나눗셈으로 바꾸어 계산하거나 세로로 계산할 수 있습니다.

[방법 1] 분수로 바꾸어 계산하기

$$7.38\div 3=\frac{738}{100}\div 3=\frac{738\div 3}{100}=\frac{246}{100}=2.46$$

[방법 2] 세로로 계산하기

```
    2 4 6              2.4 6
 3)7 3 8    ⇨     3)7.3 8
   6                  6
   1 3                1 3
   1 2                1 2
     1 8                1 8
     1 8                1 8
       0                  0
```

세로로 계산할 때 몫의 소수점은 나누어지는 수의 소수점을 올려 찍습니다.

즉, 각 자리에서 나누어떨어지지 않는 (소수)÷(자연수)는 분수의 나눗셈으로 바꾸어 계산하거나 자연수의 나눗셈과 같은 방법으로 세로로 계산한 후 나누어지는 수의 소수점을 올려 몫의 소수점을 찍어 줍니다.

풍산자 비법

(소수)÷(자연수)에서 몫의 소수점 ⇨ 나누어지는 수의 소수점을 올려 찍는다.

예제 따라 풀어보는 연산

예제 1 $15.24 \div 4 = \frac{1524}{100} \div 4 = \frac{1524 \div 4}{100} = \frac{381}{100} = 3.81$

01 $30.1 \div 7 =$

02 $15.85 \div 5 =$

03 $28.56 \div 3 =$

04 $37.5 \div 5 =$

예제 2

$$\begin{array}{r} 8.4\,2 \\ 3\overline{)\,2\,5.2\,6} \\ \underline{2\,4} \\ 1\,2 \\ \underline{1\,2} \\ 6 \\ \underline{6} \\ 0 \end{array}$$

05 $8\overline{)\,5\,3.7\,6}$

06 $7\overline{)\,8.7\,5}$

07 $4\overline{)\,5.1\,2}$

08 $2\overline{)\,3.3\,2}$

스스로 풀어보는 연산

09 $7.5 \div 5 =$	**10** $56.4 \div 4 =$
11 $74.48 \div 8 =$	**12** $61.56 \div 2 =$
13 $4\overline{)18.8}$	**14** $2\overline{)25.8}$
15 $7\overline{)39.9}$	**16** $8\overline{)19.2}$
17 $8\overline{)42.24}$	**18** $5\overline{)16.35}$
19 $2\overline{)39.48}$	**20** $3\overline{)28.95}$
21 $9\overline{)83.43}$	**22** $3\overline{)80.58}$

응용 연산

[23-24] 빈 곳에 알맞은 수를 써넣으시오.

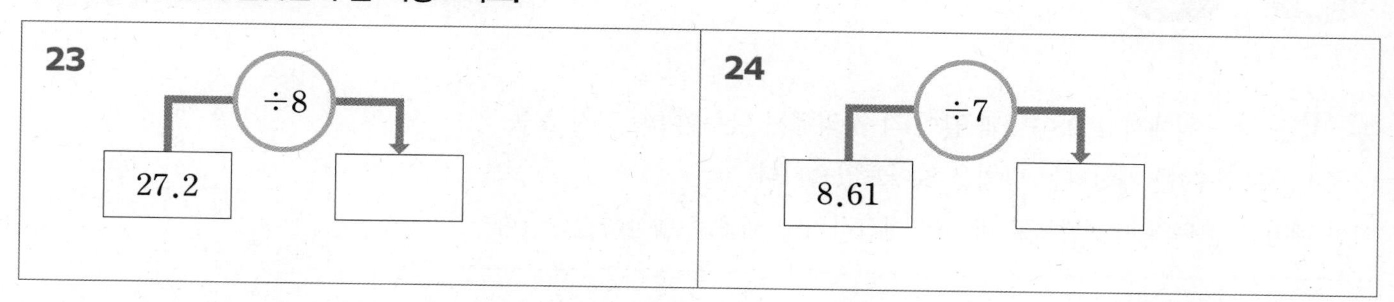

[25-26] 빈 곳에 알맞은 수를 써넣으시오.

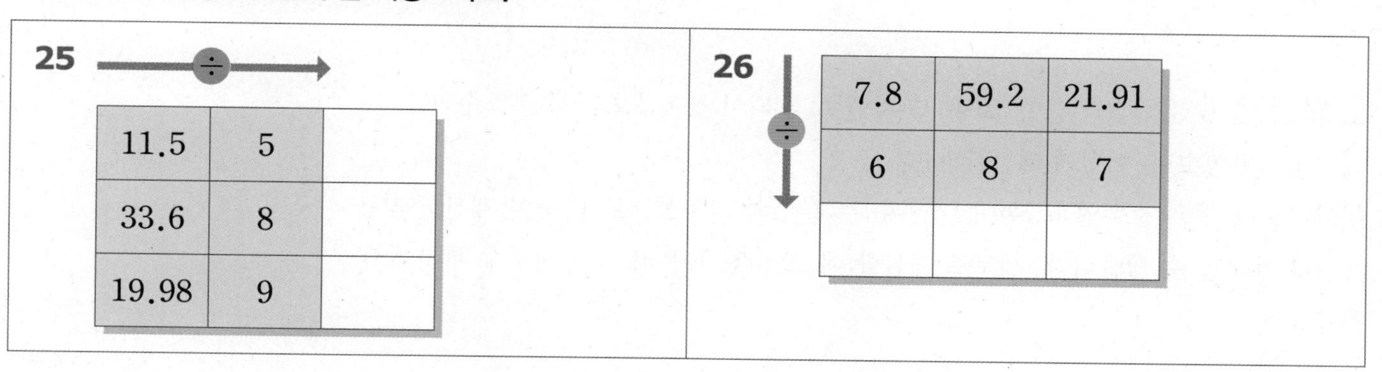

25
÷
11.5
5
33.6
8
19.98
9
26
÷
7.8
59.2
21.91
6
8
7

[27-28] 계산을 잘못한 곳을 찾아 바르게 계산하시오.

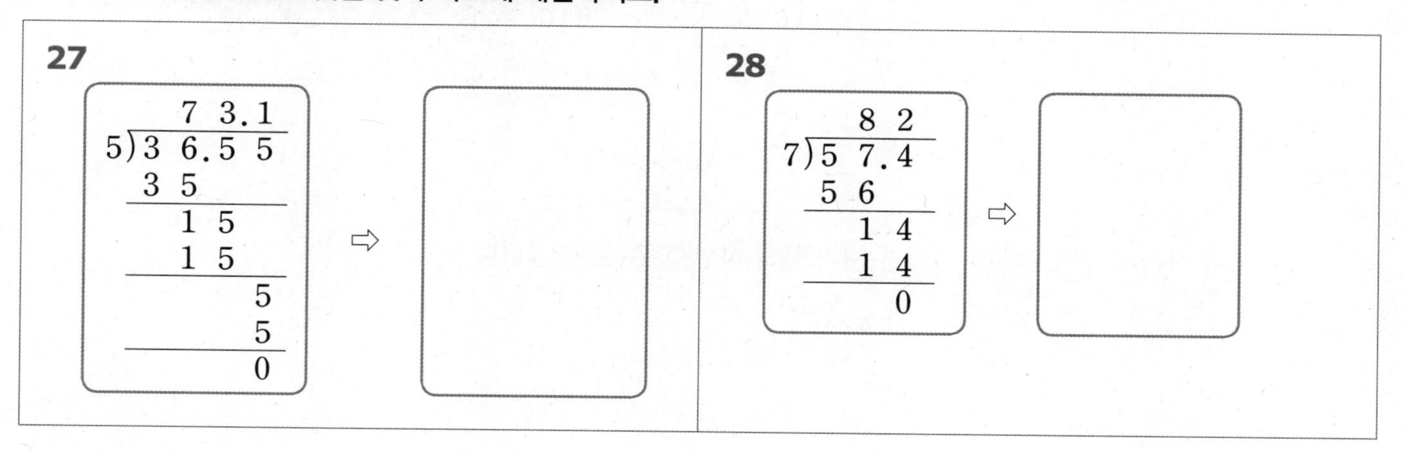

[29-30] 몫의 크기를 비교하여 ○ 안에 >, =, <를 알맞게 써넣으시오.

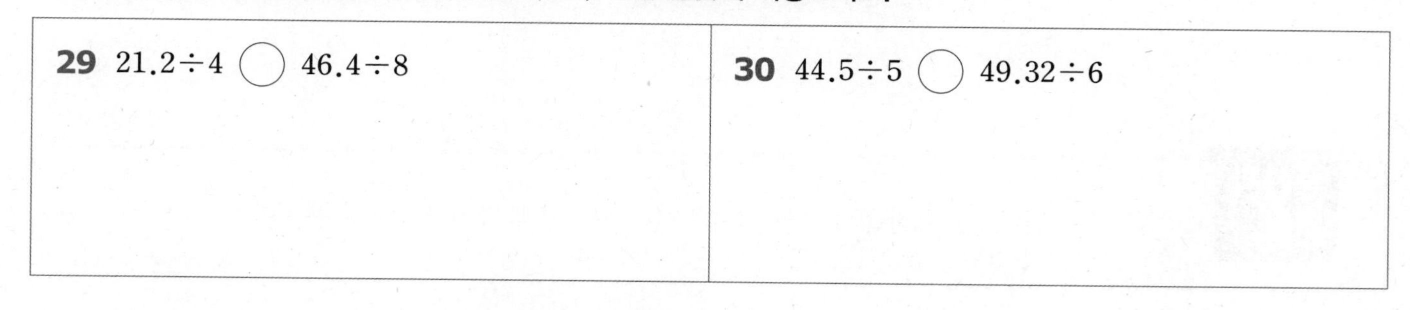

(소수)÷(자연수) (3)

우리는 앞 단원에서 4.38÷3과 같이 각 자리에서 나누어떨어지지 않는 (소수)÷(자연수)를 계산하는 방법을 알아보았습니다.
이런 계산은 분수의 나눗셈으로 바꾸어 계산하거나 세로로 계산하였습니다.

$$4.38\div3=\frac{438}{100}\div3=\frac{438\div3}{100}=\frac{146}{100}=1.46$$

$$\begin{array}{r} 1.46 \\ 3\overline{)4.38} \\ \underline{3} \\ 13 \\ \underline{12} \\ 18 \\ \underline{18} \\ 0 \end{array}$$

그렇다면 6.32÷8과 같이 (소수)<(자연수)가 되어 몫이 1보다 작은 소수인 (소수)÷(자연수)는 어떻게 계산할까요?
몫이 1보다 작은 소수인 (소수)÷(자연수)는 분수의 나눗셈으로 바꾸어 계산하거나 세로로 계산할 수 있습니다. 세로로 계산할 때, 소수점을 올려 찍고 자연수 부분에 0을 씁니다.

[방법 1] 분수로 바꾸어 계산하기	[방법 2] 세로로 계산하기
$6.32\div8=\frac{632}{100}\div8$ $=\frac{632\div8}{100}$ $=\frac{79}{100}$ $=0.79$	$\begin{array}{r} 79 \\ 8\overline{)632} \\ \underline{56} \\ 72 \\ \underline{72} \\ 0 \end{array}$ ⇨ $\begin{array}{r} 0.79 \\ 8\overline{)6.32} \\ \underline{5\,6} \\ 72 \\ \underline{72} \\ 0 \end{array}$

나누어지는 수가 나누는 수보다 작으면 세로로 계산할 때 몫의 일의 자리에 0을 쓰고 소수점을 찍은 다음 자연수의 나눗셈과 같은 방법으로 계산합니다.

즉, 몫이 1보다 작은 소수인 (소수)÷(자연수)의 몫의 자연수 부분은 0입니다.

풍산자 비법

몫이 1보다 작은 소수인 (소수)÷(자연수)의 몫의 자연수 부분은 0이다.

예제 따라 풀어보는 연산

예제 1 $1.32 \div 2 = \frac{132}{100} \div 2 = \frac{132 \div 2}{100} = \frac{66}{100} = 0.66$

01 $1.8 \div 2 =$	**02** $6.48 \div 9 =$
03 $1.38 \div 6 =$	**04** $1.12 \div 4 =$

예제 2 $184 \div 4 = 46$ ⇨ $1.84 \div 4 = 0.46$

05 $648 \div 9 = 72$ ⇨ $6.48 \div 9 = \square$	**06** $78 \div 3 = 26$ ⇨ $0.78 \div 3 = \square$
07 $402 \div 6 = 67$ ⇨ $4.02 \div 6 = \square$	**08** $156 \div 3 = 52$ ⇨ $1.56 \div 3 = \square$

예제 3

$$\begin{array}{r} 0.5 \\ 3\overline{)1.5} \\ \underline{1\ 5} \\ 0 \end{array}$$

09 $4\overline{)3.6}$	**10** $9\overline{)6.48}$
11 $4\overline{)3.28}$	**12** $7\overline{)6.58}$

스스로 풀어보는 연산

13 $1.34 \div 2 =$	**14** $2.58 \div 3 =$
15 $4.75 \div 5 =$	**16** $5.52 \div 6 =$
17 $2\overline{)0.48}$	**18** $9\overline{)8.64}$
19 $5\overline{)3.25}$	**20** $7\overline{)3.08}$
21 $7\overline{)0.91}$	**22** $2\overline{)0.26}$
23 $7\overline{)1.75}$	**24** $3\overline{)1.38}$
25 $8\overline{)4.88}$	**26** $5\overline{)1.45}$

응용 연산

[27-28] 빈 곳에 알맞은 수를 써넣으시오.

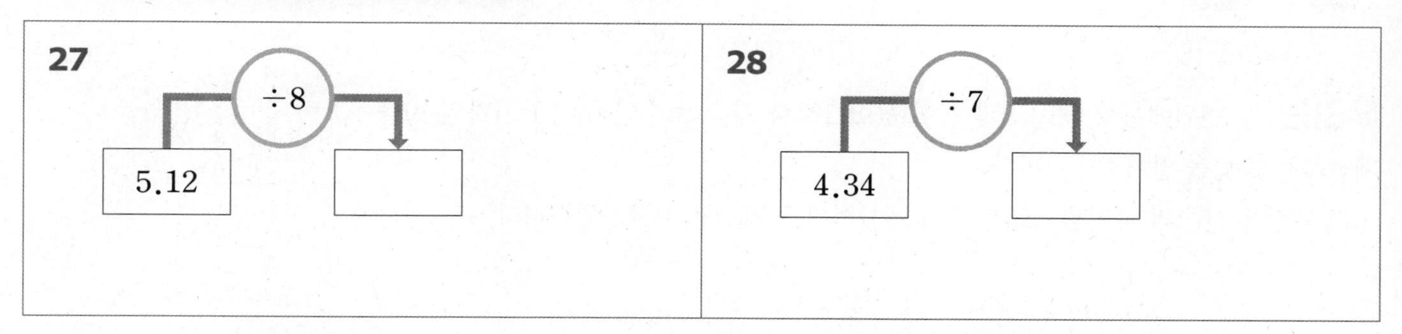

[29-30] 나눗셈의 몫을 찾아 이어 보시오.

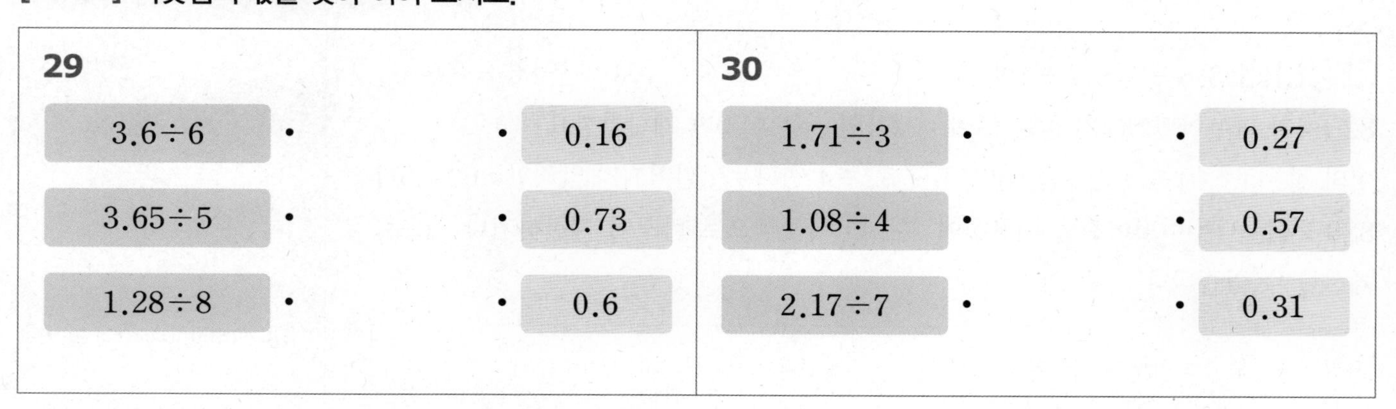

[31-32] 몫의 크기를 비교하여 ○ 안에 >, =, <를 알맞게 써넣으시오.

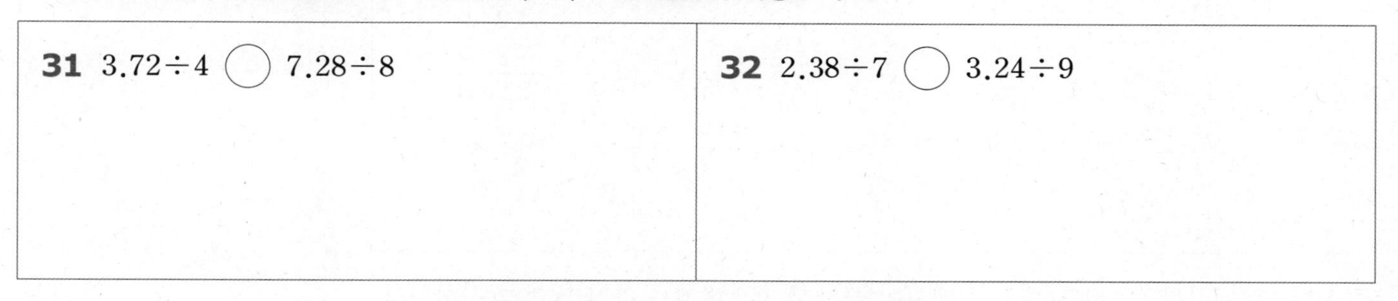

[33-34] 빈 곳에 알맞은 수를 써넣으시오.

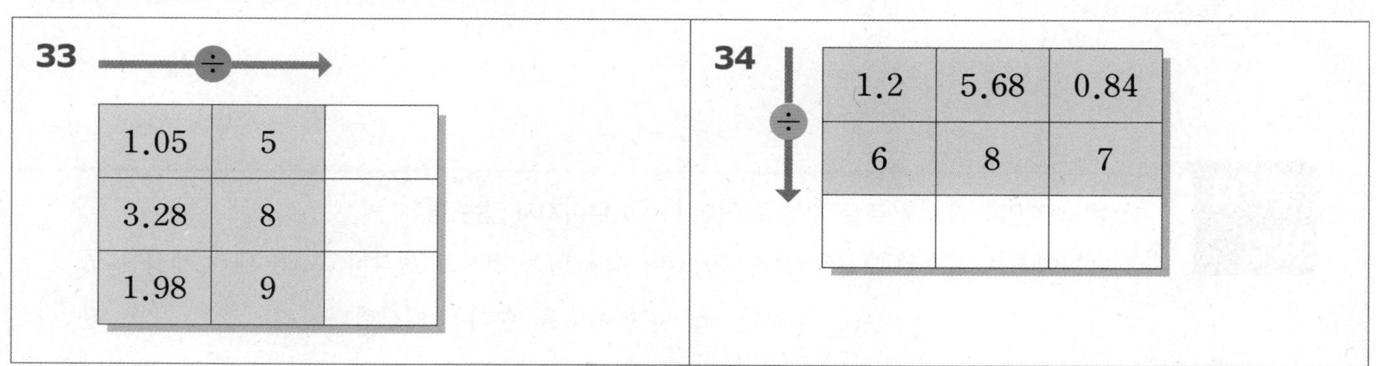

33
÷
1.05
5
3.28
8
1.98
9
34
÷
1.2
5.68
0.84
6
8
7

10 (소수)÷(자연수) (4)

우리는 앞 단원에서 2.32÷8과 같이 몫이 1보다 작은 소수인 (소수)÷(자연수)를 계산하는 방법을 알아보았습니다.

이런 계산은 분수의 나눗셈으로 바꾸어 계산하거나 세로로 계산하였습니다.

$$2.32 \div 8 = \frac{232}{100} \div 8 = \frac{232 \div 8}{100} = \frac{29}{100} = 0.29$$

```
   0 . 2 9
8 ) 2 . 3 2
    1 6
    -----
      7 2
      7 2
      ---
        0
```

그렇다면 8.6÷5, 8.2÷4와 같이 나누어지는 수를 자연수로 바꾼 86÷5나 82÷4가 나누어떨어지지 않는 (소수)÷(자연수)는 어떻게 계산할까요?

이와 같은 (소수)÷(자연수)는 86÷5나 82÷4가 나누어떨어지지 않지만 860÷5나 820÷4는 나누어떨어짐을 이용하여 분수의 나눗셈으로 바꾸어 계산하거나 세로로 계산할 수 있습니다.

8.6=8.60
8.2=8.20

[방법 1] 분수로 바꾸어 계산하기

$$8.6 \div 5 = \frac{86}{10} \div 5 = \frac{860}{100} \div 5 = \frac{860 \div 5}{100} = \frac{172}{100} = 1.72$$

$$8.2 \div 4 = \frac{82}{10} \div 4 = \frac{820}{100} \div 4 = \frac{820 \div 4}{100} = \frac{205}{100} = 2.05$$

[방법 2] 세로로 계산하기

```
   1 . 7 2            2 . 0 5
5 ) 8 . 6 0        4 ) 8 . 2 0
    5                  8
    -----              -----
    3 6                  2 0
    3 5                  2 0
    -----                ---
      1 0                  0
      1 0
      ---
        0
```

즉, 세로로 계산할 때 8.6÷5처럼 계산이 끝나지 않으면 0을 하나 내려 계산합니다. 또한, 8.2÷4처럼 수를 하나 내렸음에도 나누어야 할 수가 나누는 수보다 작을 경우에는 몫에 0을 쓰고 수를 하나 더 내려 계산합니다.

풍산자 비법

(소수)÷(자연수)에서 세로로 계산 중 몫이 나누어떨어지지 않는 경우

⇨ 나누어지는 소수의 오른쪽 끝자리에 0이 계속 있는 것으로 생각하고 0을 내려 계산한다.

⇨ 나누어야 할 수가 나누는 수보다 작으면 몫에 0을 쓴 다음 계산한다.

예제 따라 풀어보는 연산

예제 1 $2.5\div2=\frac{250}{100}\div2=\frac{250\div2}{100}=\frac{125}{100}=1.25$

01 $1.7\div2=$	**02** $4.2\div5=$
03 $1.4\div4=$	**04** $6.3\div6=$

예제 2 $210\div6=35$ ⇨ $2.1\div6=0.35$

05 $680\div5=136$ ⇨ $6.8\div5=\square$	**06** $930\div6=155$ ⇨ $9.3\div6=\square$
07 $1620\div4=405$ ⇨ $16.2\div4=\square$	**08** $4840\div8=605$ ⇨ $48.4\div8=\square$

예제 3

$$\begin{array}{r} 0.35 \\ 4\overline{)1.40} \\ 12 \\ \hline 20 \\ 20 \\ \hline 0 \end{array}$$

09 $5\overline{)7.3}$	**10** $5\overline{)2.1}$	**11** $8\overline{)9.2}$	**12** $5\overline{)30.2}$

스스로 풀어보는 연산

13 $10.2 \div 5 =$	14 $70.6 \div 4 =$
15 $6.8 \div 5 =$	16 $9.3 \div 6 =$
17 $8\overline{)3.6}$	18 $5\overline{)30.3}$
19 $5\overline{)3.2}$	20 $4\overline{)2.6}$
21 $6\overline{)5.7}$	22 $2\overline{)2.7}$
23 $2\overline{)8.1}$	24 $8\overline{)48.4}$
25 $4\overline{)28.2}$	26 $6\overline{)24.3}$

응용 연산

[27-28] 빈 곳에 알맞은 수를 써넣으시오.

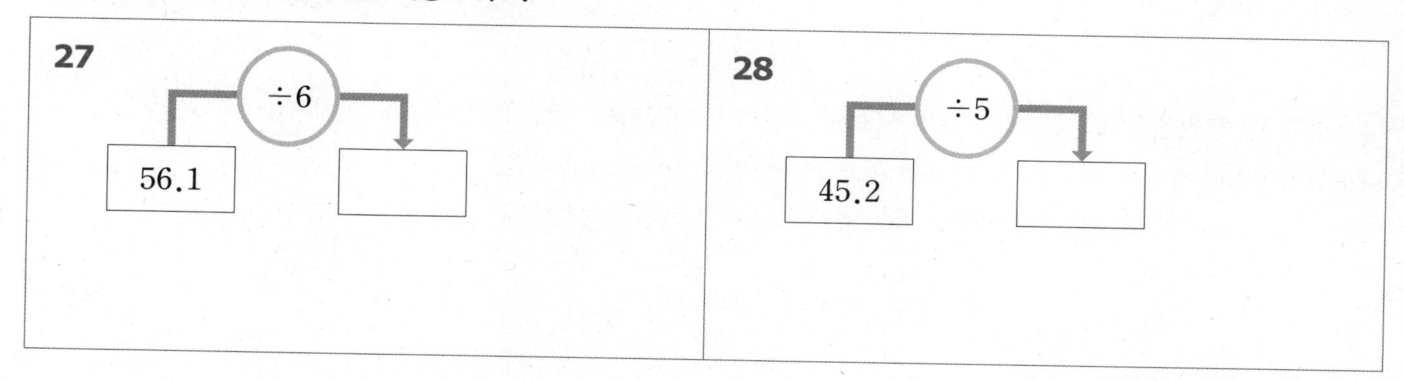

[29-30] 나눗셈의 몫을 찾아 이어 보시오.

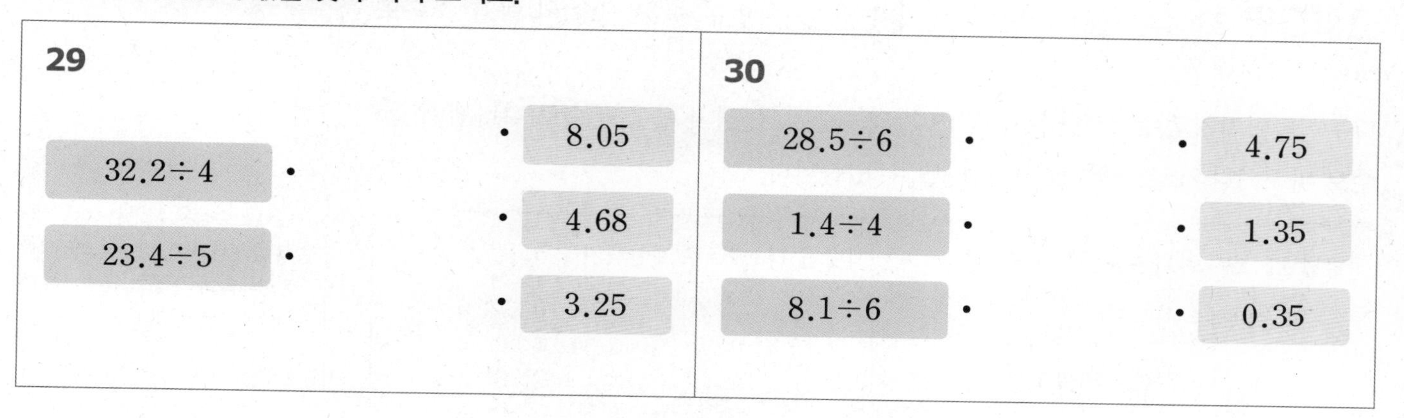

[31-32] 몫의 크기를 비교하여 ○ 안에 >, =, <를 알맞게 써넣으시오.

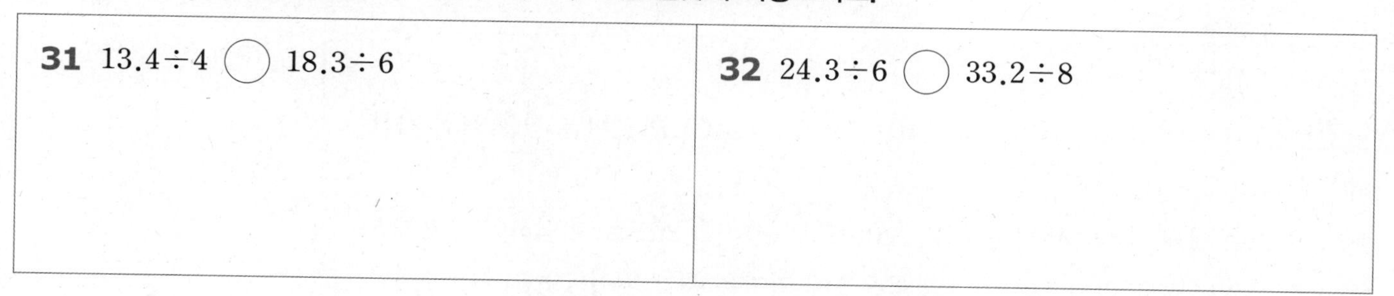

[33-34] 빈 곳에 알맞은 수를 써넣으시오.

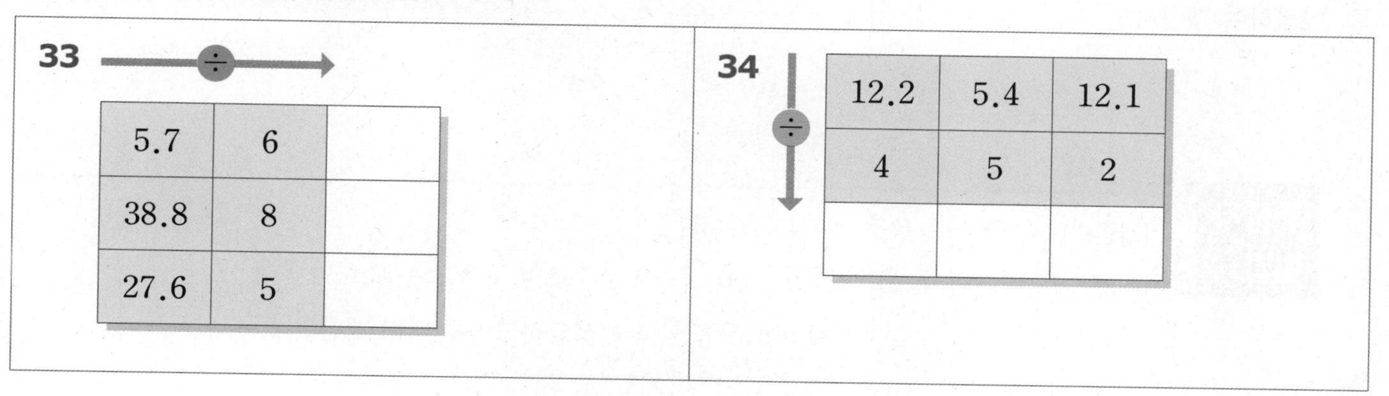

33
÷
5.7
6
38.8
8
27.6
5
34
÷
12.2
5.4
12.1
4
5
2

11 (자연수)÷(자연수)와 소수점 위치

우리는 앞 단원에서 12.2÷4와 같이 나누어지는 수를 자연수로 바꾼 122÷4가 나누어떨어지지 않는 (소수)÷(자연수)를 계산하는 방법을 알아보았습니다.
이런 계산은 분수의 나눗셈으로 바꾸어 계산하거나 세로로 계산하였습니다.

$$12.2\div4=\frac{1220}{100}\div4=\frac{1220\div4}{100}=\frac{305}{100}=3.05$$

$$\begin{array}{r} 3.05 \\ 4\overline{)12.20} \\ \underline{12} \\ 20 \\ \underline{20} \\ 0 \end{array}$$

그렇다면 3÷4와 같이 나누어떨어지지 않는 (자연수)÷(자연수)의 몫을 소수로 어떻게 나타낼까요?
나누어떨어지지 않는 (자연수)÷(자연수)의 몫은 나눗셈의 몫을 분수로 나타낸 후 소수로 바꾸거나 세로로 계산하여 나타낼 수 있습니다.

[방법 1] 분수로 나타낸 후 계산하기	[방법 1] 세로로 계산하기
$3\div4=\frac{3}{4}=\frac{3\times25}{4\times25}=\frac{75}{100}=0.75$	$\begin{array}{r} 75 \\ 4\overline{)300} \\ \underline{28} \\ 20 \\ \underline{20} \\ 0 \end{array}$ ⇨ $\begin{array}{r} 0.75 \\ 4\overline{)3.00} \\ \underline{2\,8} \\ 20 \\ \underline{20} \\ 0 \end{array}$

몫의 소수점은 자연수 바로 뒤에서 올려서 찍고, 소수점 아래에서 받아내릴 수가 없는 경우 0을 받아내려 계산합니다.

또한 19.6÷4=0.49, 19.6÷4=4.9, 19.6÷4=49 중 올바른 식을 직접 계산하지 않고 어떻게 찾을까요?
19.6을 소수 첫째 자리에서 반올림하면 20이므로 19.6을 20으로 어림하여 계산하면 20÷4=5입니다. 따라서 19.6÷4의 몫은 5에 가까운 수가 되어 19.6÷4=4.9임을 알 수 있습니다.
즉, 어림하여 계산하면 소수점의 위치를 쉽게 찾을 수 있습니다.

풍산자 비법

(자연수)÷(자연수)의 몫을 소수로 나타내기
⇨ 분수로 나타낸 후 분모를 10, 100……인 분수로 바꾸어 소수로 나타낸다.
⇨ 나누어지는 수의 끝자리에 0이 계속 있다고 생각하고 0을 내려 계산한다.

예제 따라 풀어보는 연산

예제 1 $7\div5=\frac{7}{5}=\frac{14}{10}=1.4$

01 $11\div2=$	**02** $10\div4=$
03 $12\div5=$	**04** $13\div20=$

예제 2

```
    1.4
5)7.0
  5
  2 0
  2 0
    0
```

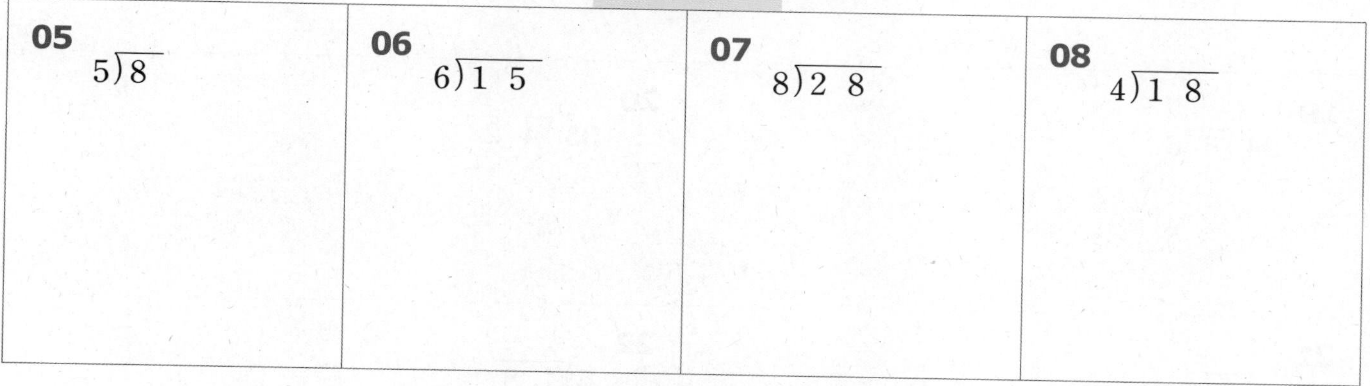

05	**06**	**07**	**08**
5)8	6)1 5	8)2 8	4)1 8

예제 3 $31.64\div7$

어림 $32\div7$ ⇨ 약 5

몫 4.52

09 $25.4\div4$ 어림 □ $\div4$ ⇨ 약 □ 몫 6□3□5	**10** $13.6\div5$ 어림 □ $\div5$ ⇨ 약 □ 몫 2□7□2
11 $80.5\div7$ 어림 □ $\div7$ ⇨ 약 □ 몫 1□1□5	**12** $64.2\div3$ 어림 □ $\div3$ ⇨ 약 □ 몫 2□1□4

스스로 풀어보는 연산

13 $33 \div 2 =$

14 $24 \div 5 =$

15 $45 \div 6 =$

16 $18 \div 30 =$

17 $8\overline{)12}$

18 $18\overline{)63}$

19 $24\overline{)66}$

20 $35\overline{)42}$

21 $4\overline{)9}$

22 $5\overline{)18}$

23 $83.4 \div 6$

어림 $\square \div 6$ ⇨ 약 $\square$

몫 $1\square3\square9$

24 $47.2 \div 5$

어림 $\square \div 5$ ⇨ 약 $\square$

몫 $9\square4\square4$

25 $26.6 \div 4$

어림 $\square \div 4$ ⇨ 약 $\square$

몫 $6\square6\square5$

26 $11.7 \div 2$

어림 $\square \div 2$ ⇨ 약 $\square$

몫 $5\square8\square5$

응용 연산

[27-28] 빈 곳에 알맞은 수를 써넣으시오.

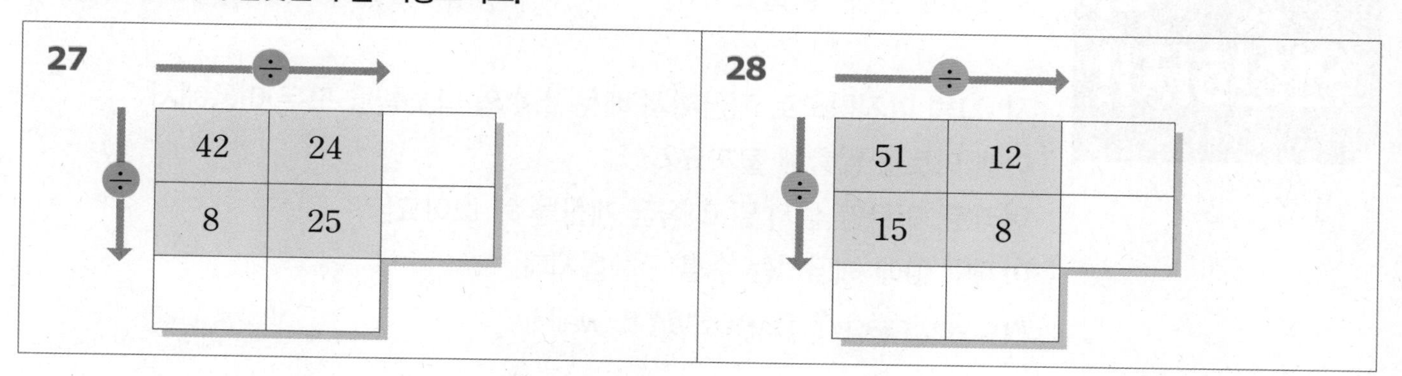

[29-30] 나눗셈의 몫을 찾아 이어 보시오.

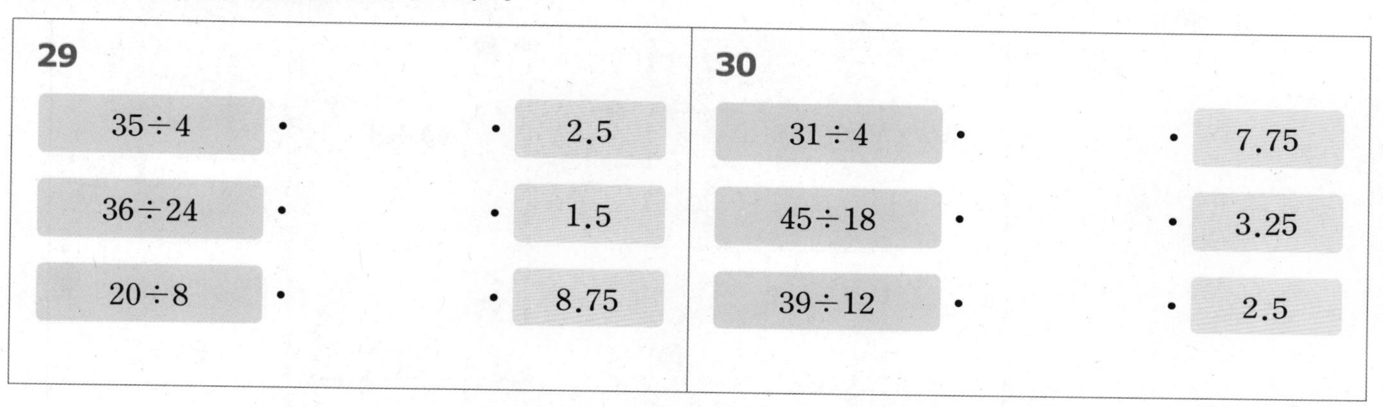

[31-32] 몫의 크기를 비교하여 ○ 안에 >, =, <를 알맞게 써넣으시오.

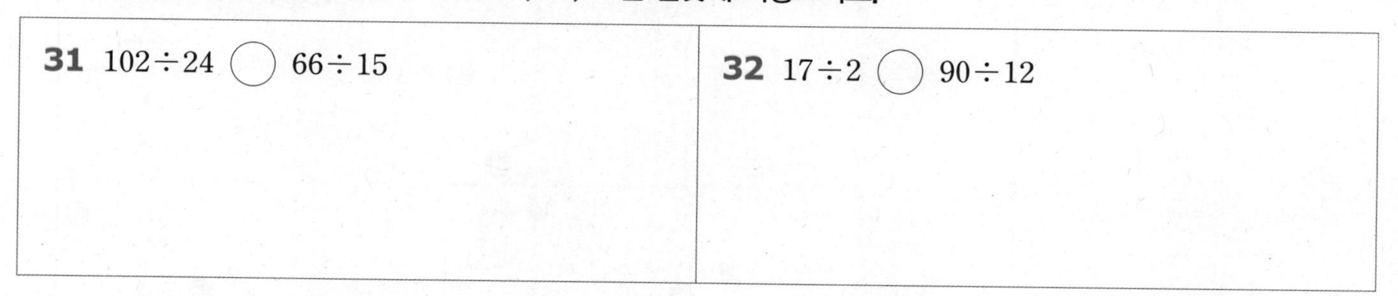

[33-34] 몫을 어림하여 몫이 1보다 큰 나눗셈의 기호를 쓰시오.

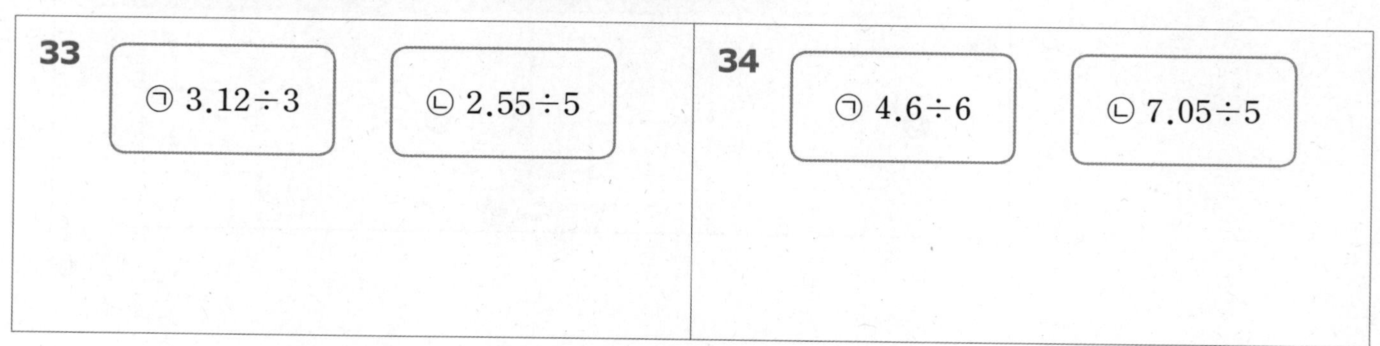

재미있게, 우리 연산하자!

지금까지 우리는 소수의 나눗셈을 배웠습니다.
힘들었을 텐데, 잘 풀었어요!

자, 그럼 마지막으로 지금까지 배운 소수의 나눗셈을 모두 이용해서
아래 미로를 탈출해 볼까요?
여러분, 미로만 풀지 말고 직접 계산을 해 보아요!
마지막 ⑩에 해당하는 수를 구해봅시다.
Are you ready? Then, Start to walk!!

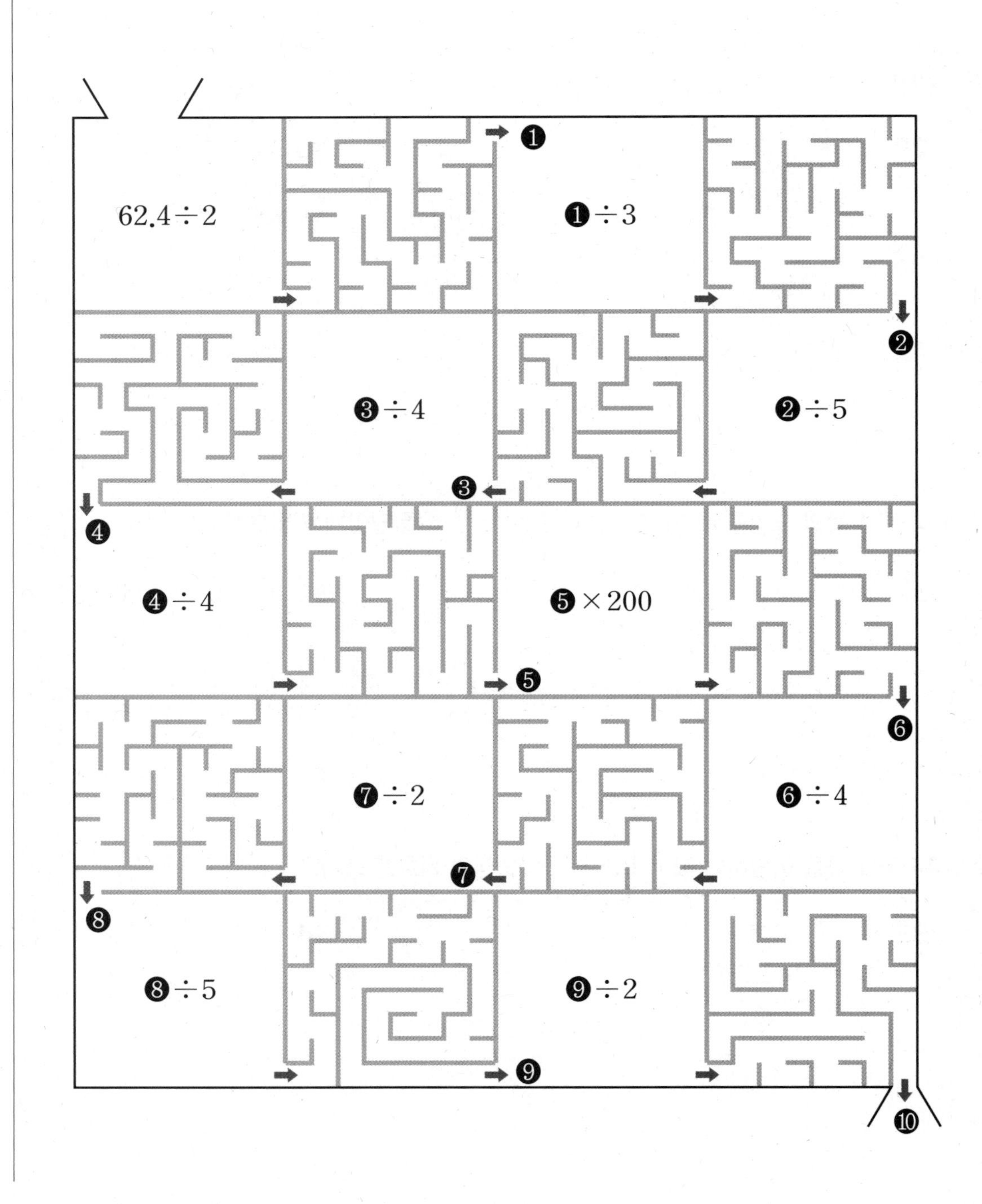

비와 비율

공부할 내용	공부한 날
12 비	월 일
13 비율	월 일
14 백분율	월 일

12 비

우리는 **[수학 5-1] 3단원** 규칙과 대응에서 두 양 사이의 대응 관계를 알아보았습니다. 한 주머니에 검은 바둑돌을 4개씩, 흰 바둑돌을 2개씩 넣을 때 주머니 수와 검은 바둑돌 수, 흰 바둑돌 수의 관계를 표로 나타내면 다음과 같습니다.

주머니 수(개)	1	2	3	4	……
검은 바둑돌 수(개)	4	8	12	16	……
흰 바둑돌 수(개)	2	4	6	8	……

그렇다면 검은 바둑돌 수와 흰 바둑돌 수를 어떻게 비교할까요?

주머니 수에 따른 검은 바둑돌 수와 흰 바둑돌 수를 뺄셈으로 비교해 보면 주머니 수에 따라 검은 바둑돌은 흰 바둑돌보다 각각

$$4-2=2(\text{개}),\ 8-4=4(\text{개}),\ 12-6=6(\text{개}),\ 16-8=8(\text{개})$$

더 많습니다.

주머니 수에 따른 검은 바둑돌 수와 흰 바둑돌 수를 나눗셈으로 비교해 보면

$$4\div2=2,\ 8\div4=2,\ 12\div6=2,\ 16\div8=2$$

이므로 검은 바둑돌 수는 항상 흰 바둑돌 수의 2배입니다.

뺄셈으로 비교한 경우에는 검은 바둑돌 수와 흰 바둑돌 수의 관계가 변하지만 나눗셈으로 비교한 경우에는 검은 바둑돌 수와 흰 바둑돌 수의 관계가 변하지 않습니다.

두 수를 나눗셈으로 비교하기 위해 기호 **:**을 사용하여 나타낸 것을 **비**라고 합니다.

두 수 4와 2를 비교할 때 **4 : 2**라 쓰고 **4 대 2**라고 읽습니다.

이때 기호 :의 오른쪽에 있는 수가 기준입니다.

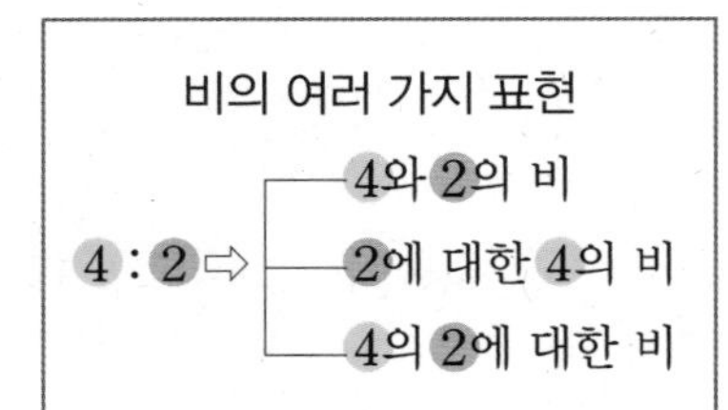

4 : 2
⇨ 2를 기준으로 하여 4를 비교
2 : 4
⇨ 4를 기준으로 하여 2를 비교

4 : 2와 2 : 4는 다릅니다.

풍산자 비법

▲ : ■ ⇨ ▲ 대 ■, ▲와 ■의 비, ■에 대한 ▲의 비, ▲의 ■에 대한 비

예제 따라 풀어보는 연산

예제 1 4와 16을 뺄셈과 나눗셈으로 비교하시오.

⇨ $16-4=12$이므로 16은 4보다 12만큼 더 큽니다.
$16\div4=4$이므로 16은 4의 4배입니다.

01 10과 5	**02** 3과 9
03 8과 2	**04** 2와 10

예제 2

남학생 수와 여학생 수의 비 ⇨ 2 : 3

05 연필 수와 지우개 수의 비 ⇨

06 사탕 수와 도넛 수의 비 ⇨

07

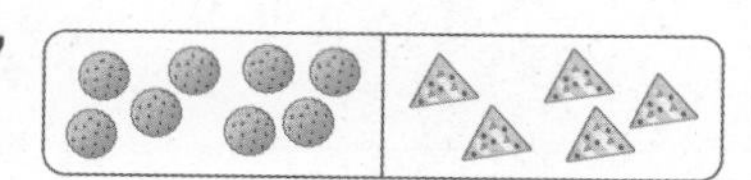

원 모양 과자 수와 삼각형 모양 과자 수의 비 ⇨

08

꽃 수와 꽃병 수의 비 ⇨

예제 3

9 대 13 ⇨ 9 : 13
9와 13의 비 ⇨ 9 : 13
9의 13에 대한 비 ⇨ 9 : 13
13에 대한 9의 비 ⇨ 9 : 13

09 8의 3에 대한 비 ⇨	**10** 5와 12의 비 ⇨
11 8 대 11 ⇨	**12** 14에 대한 6의 비 ⇨

스스로 풀어보는 연산

13 5에 대한 1의 비 ⇨	**14** 4와 13의 비 ⇨
15 7 대 9 ⇨	**16** 11에 대한 2의 비 ⇨
17 4의 5에 대한 비 ⇨	**18** 3에 대한 5의 비 ⇨
19 10과 5의 비 ⇨	**20** 3 대 1 ⇨
21 6에 대한 2의 비 ⇨	**22** 8과 4의 비 ⇨
23 2에 대한 5의 비 ⇨	**24** 3과 4의 비 ⇨
25 8의 5에 대한 비 ⇨	**26** 1에 대한 3의 비 ⇨

응용 연산

27 나비 수에 대한 벌 수의 비를 구하시오.

28 운동장에 남학생이 13명, 여학생이 15명 있습니다. 여학생 수에 대한 남학생 수의 비를 구하시오.

[29-30] 비를 바르게 읽은 것을 모두 고르시오.

29 5 : 7

① 5 대 7
② 7의 5에 대한 비
③ 7과 5의 비
④ 5에 대한 7의 비
⑤ 5의 7에 대한 비

30 3 : 8

① 8 대 3
② 3에 대한 8의 비
③ 8과 3의 비
④ 8에 대한 3의 비
⑤ 3의 8에 대한 비

[31-32] 전체에 대한 색칠한 부분의 비가 다음과 같도록 색칠하시오.

31 2 : 4

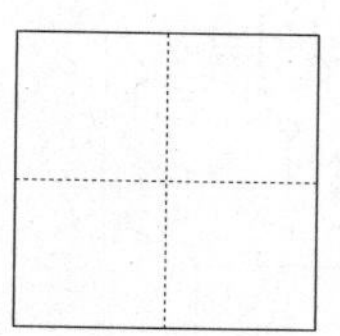

32 5 : 8

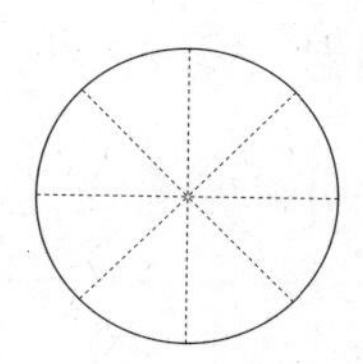

[33-34] 그림을 보고 비를 구하시오.

33

물 컵 수와 모래 컵 수의 비 ⇨
모래 컵 수에 대한 물 컵 수의 비 ⇨
물 컵 수에 대한 모래 컵 수의 비 ⇨

34

티셔츠 수와 바지 수의 비 ⇨
바지 수의 티셔츠 수에 대한 비 ⇨
티셔츠 수의 바지 수에 대한 비 ⇨

13 비율

우리는 앞 단원에서 비를 알아보았습니다. 두 수를 나눗셈으로 비교하기 위해 비로 나타냈습니다.

두 수 3과 2를 비교할 때 기호 :을 사용하여 3 : 2라 쓰고 3 대 2라고 읽었습니다. 이때 기호 :의 오른쪽에 있는 수가 기준입니다.

3 : 2는 "3과 2의 비", "2에 대한 3의 비", "3의 2에 대한 비"라고도 읽습니다.

그렇다면 비에서 기준량에 대한 비교하는 양의 크기를 어떻게 계산할까요?

비 8 : 20에서 기호 :의 오른쪽에 있는 20은 **기준량**이고, 왼쪽에 있는 8은 **비교하는 양**입니다.

기준량에 대한 비교하는 양의 크기를 **비율**이라고 합니다.

비교하는 양
20에 대한 8의 비 ⇨ 8 : 20
기준량

$$(\text{비율})=(\text{비교하는 양})\div(\text{기준량})=\frac{(\text{비교하는 양})}{(\text{기준량})}$$

비 8 : 20을 비율로 나타내면 $\frac{8}{20}$ 또는 0.4입니다.

비율은 분수 또는 소수로 나타낼 수 있습니다.
분수로 나타낼 때에는 필요한 경우 기약분수로 나타내지만 반드시 기약분수로 나타낼 필요는 없습니다.

한편 **[수학 5-2] 6단원** 평균과 가능성에서 0, $\frac{1}{2}$, 1로 표현되었던 사건이 일어날 가능성을 비율을 이용하여 다음과 같이 나타내면 다양한 수로 표현할 수 있습니다.

$$(\text{가능성})=(\text{해당 사건의 수})\div(\text{전체 수})=\frac{(\text{해당 사건의 수})}{(\text{전체 수})}$$

예를 들어, 주머니 속에 빨간 공이 3개, 파란 공이 4개 들어 있을 때, 주머니에서 꺼낸 한 개의 공이 빨간 공일 가능성을 구해 봅시다.

전체 공은 3+4=7(개)이므로 $(\text{빨간 공일 가능성})=\frac{(\text{빨간 공의 수})}{(\text{전체 공의 수})}=\frac{3}{7}$이 됩니다.

풍산자 비법

$$(\text{비율})=(\text{비교하는 양})\div(\text{기준량})=\frac{(\text{비교하는 양})}{(\text{기준량})}$$

예제 따라 풀어보는 연산

예제 1

$5:7 \Rightarrow \frac{5}{7}$

비교하는 양 (5), 기준량 (7)

01 $7:5 \Rightarrow$ ☐ 비교하는 양 ( ), 기준량 ( )	**02** $9:13 \Rightarrow$ ☐ 비교하는 양 ( ), 기준량 ( )
03 $3:8 \Rightarrow$ ☐ 비교하는 양 ( ), 기준량 ( )	**04** $11:2 \Rightarrow$ ☐ 비교하는 양 ( ), 기준량 ( )

예제 2

9 : 13의 비율을 분수로 나타내면

$\Rightarrow 9 \div 13 = \frac{9}{13}$

05 $14:15 \Rightarrow$	**06** 3과 4의 비 ⇨
07 5 대 7 ⇨	**08** $6:12 \Rightarrow$

예제 3

5 : 10의 비율을 소수로 나타내면

$\Rightarrow 5 \div 10 = \frac{5}{10} = 0.5$

09 9의 18에 대한 비 ⇨	**10** $3:12 \Rightarrow$
11 $7:35 \Rightarrow$	**12** 15에 대한 6의 비 ⇨

스스로 풀어보는 연산

[13-26] 비교하는 양, 기준량, 비율을 차례대로 구하시오.

13 1 : 5	**14** 5 : 13
15 7 : 9	**16** 13 : 2
17 4 : 5	**18** 3 : 5
19 10 : 5	**20** 3 : 1
21 6 : 5	**22** 8 : 4
23 2에 대한 5의 비	**24** 3과 4의 비
25 8의 5에 대한 비	**26** 1에 대한 3의 비

응용 연산

[27-28] 기준량을 나타내는 수가 나머지와 다른 하나를 찾아 기호를 쓰시오.

27
㉠ 7에 대한 8의 비
㉡ 4 대 7
㉢ 1의 7에 대한 비
㉣ 7과 9의 비

28
㉠ 4와 9의 비
㉡ 3의 9에 대한 비
㉢ 5 대 9
㉣ 6에 대한 9의 비

[29-30] 그림을 보고 전체에 대한 색칠한 부분의 비율을 소수로 나타내시오.

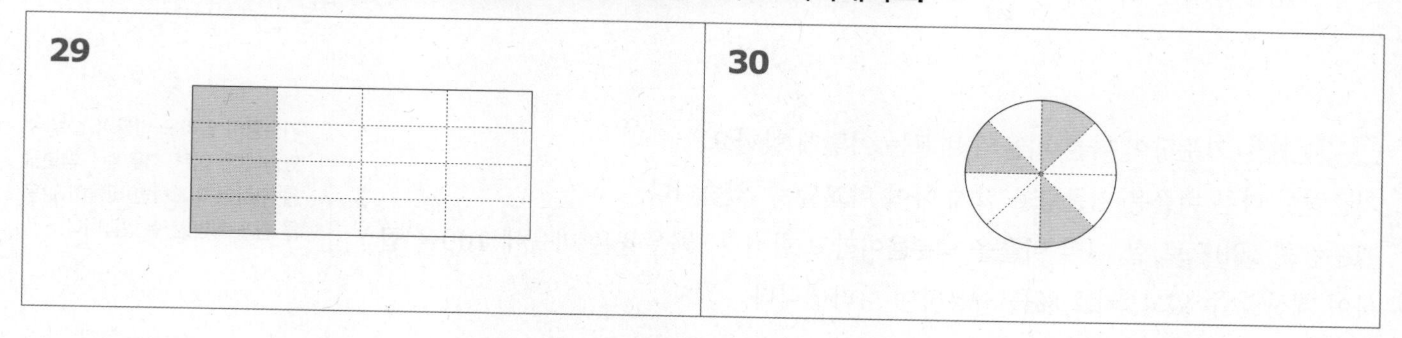

31 오렌지 주스의 양에 대한 우유의 양의 비율을 분수로 나타내시오.

1 L　　2 L

32 그림 '가'와 '나'의 가로에 대한 세로의 비율을 각각 소수로 나타내시오.

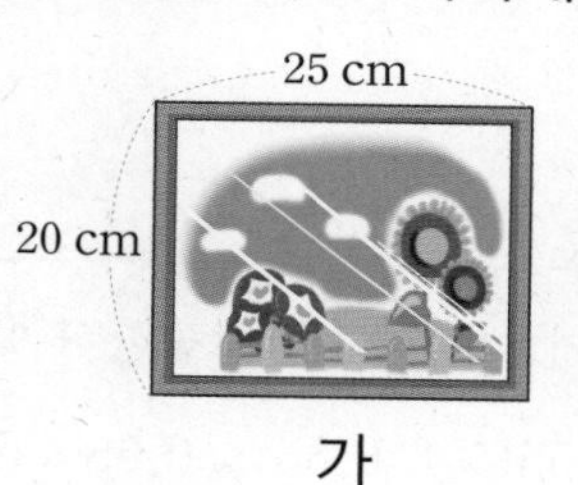

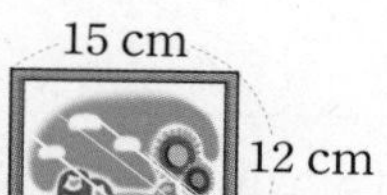

가　　나

[33-34] 관계 있는 것끼리 이어 보시오.

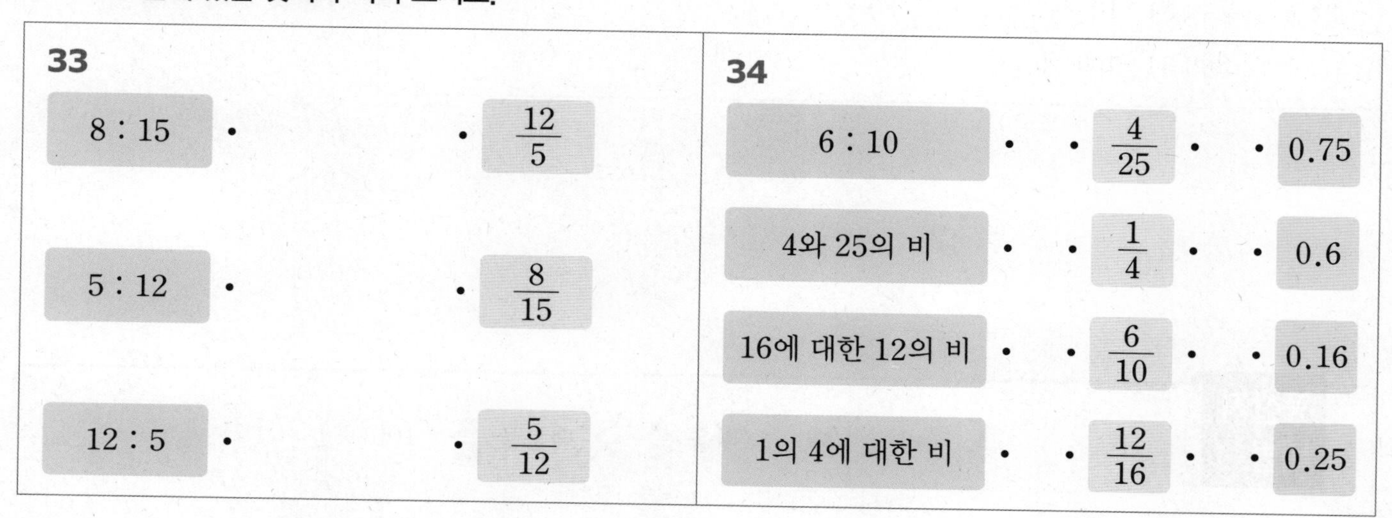

14 백분율

우리는 앞 단원에서 비율을 알아보았습니다. 기준량에 대한 비교하는 양의 크기를 비율이라고 하였습니다.

$$(\text{비율})=(\text{비교하는 양})\div(\text{기준량})=\frac{(\text{비교하는 양})}{(\text{기준량})}$$

비 4 : 10을 비율로 나타내면 $\frac{4}{10}$ 또는 0.4입니다.

그렇다면 기준량이 다른 비율의 비교는 어떻게 할까요?
기준량이 다른 비율은 기준량을 같게 하여 비교할 수 있습니다.
기준량을 100으로 할 때의 비율을 **백분율**이라고 합니다. 백분율은 비율에 100을 곱하여 계산할 수 있고, 기호 **%**를 사용하여 나타냅니다.
비율 $\frac{85}{100}$를 **85 %**라 쓰고 **85퍼센트**라고 읽습니다.

기준량이 달라도 비율이 같을 수 있습니다. 이런 경우에는 백분율을 구하여 비교하면 비율이 같음을 쉽게 확인할 수 있습니다.

$\frac{1}{100}=1\ \%$

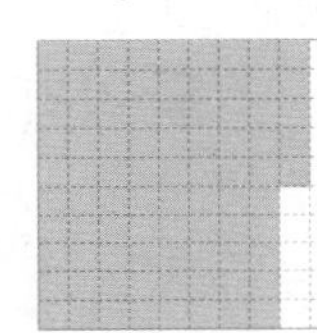

$\frac{85}{100}=85\ \%$

- 비율을 백분율로 나타내기: 비율에 100을 곱한 후 %를 붙입니다.
  $\frac{55}{100}$ ⇨ $\frac{55}{100}\times100=55(\%)$, 0.55 ⇨ $0.55\times100=55(\%)$
- 백분율을 비율로 나타내기: 백분율에서 %를 떼고 100으로 나눕니다.
  34 % ⇨ 분수: $34\div100=\frac{34}{100}\left(=\frac{17}{50}\right)$
  ⇨ 소수: $34\div100=0.34$

풍산자 비법

비 ▲ : ■ ⇨ 비율 $\frac{▲}{■}$ ⇨ 백분율 $\frac{▲}{■}\times100(\%)$

예제 따라 풀어보는 연산

예제 1 $\frac{1}{4}$ ⇨ $\frac{1}{4}\times 100=25$ ⇨ 25 %

01 $\frac{7}{5}$ ⇨	**02** $\frac{4}{10}$ ⇨
03 $\frac{11}{20}$ ⇨	**04** $\frac{4}{25}$ ⇨

예제 2 0.234 ⇨ $0.234\times 100=23.4$ ⇨ 23.4 %

05 0.12 ⇨	**06** 0.035 ⇨
07 0.27 ⇨	**08** 0.06 ⇨

예제 3 3 : 20 ⇨ $\frac{3}{20}\times 100=15$ ⇨ 15 %

09 3 : 4 ⇨	**10** 7 : 10 ⇨
11 9 : 20 ⇨	**12** 23 : 50 ⇨

스스로 풀어보는 연산

[13-26] 백분율을 구하시오.

13 $\frac{1}{4}$	**14** $\frac{3}{5}$
15 $\frac{14}{200}$	**16** $\frac{168}{140}$
17 0.25	**18** 0.034
19 0.805	**20** 0.013
21 $1 : 5$	**22** $5 : 25$
23 $7 : 14$	**24** $11 : 22$
25 $4 : 5$	**26** $3 : 5$

응용 연산

[27-28] 두 비율의 크기를 비교하여 ○ 안에 >, =, <를 알맞게 써넣으시오.

27 (1) 33 % ○ $\frac{1}{3}$ (2) 0.631 ○ 6.5 %	**28** (1) 45 % ○ 0.405 (2) $\frac{3}{4}$ ○ 72 %

[29-30] 전체에 대한 색칠한 부분의 비율을 백분율로 나타내시오.

29

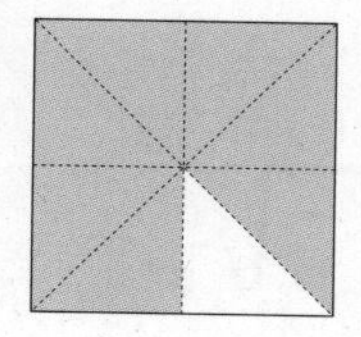

30

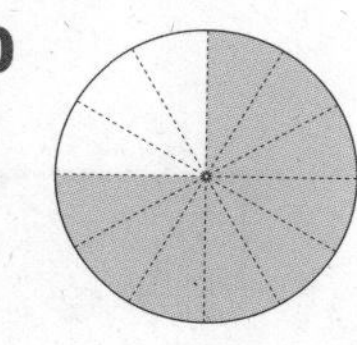

[31-32] 백분율에 대한 설명으로 맞으면 ○표, 틀리면 ×표 하시오.

31 비율 $\frac{9}{20}$를 백분율로 나타내려면 $\frac{9}{20}$에 100을 곱해서 나온 45에 기호 %를 붙이면 됩니다.

( )

32 비율 $\frac{1}{5}$을 소수로 나타내면 0.2이고, 이것을 백분율로 나타내면 2 %입니다.

( )

[33-34] 골 성공률은 몇 %인지 구하시오.

33 공을 20번 차서 골대에 13번 넣었습니다.

34 공을 25번 차서 골대에 21번 넣었습니다.

재미있게, 우리 연산하자!

지금까지 우리는 비와 비율을 배웠습니다.
힘들었을 텐데, 잘 풀었어요!

자, 그럼 마지막으로 지금까지 배운 비와 비율을 모두 이용해서
주어진 카드와 같은 비율이 되도록 □ 안에 알맞은 수를 구해봅시다.
ready~ start!

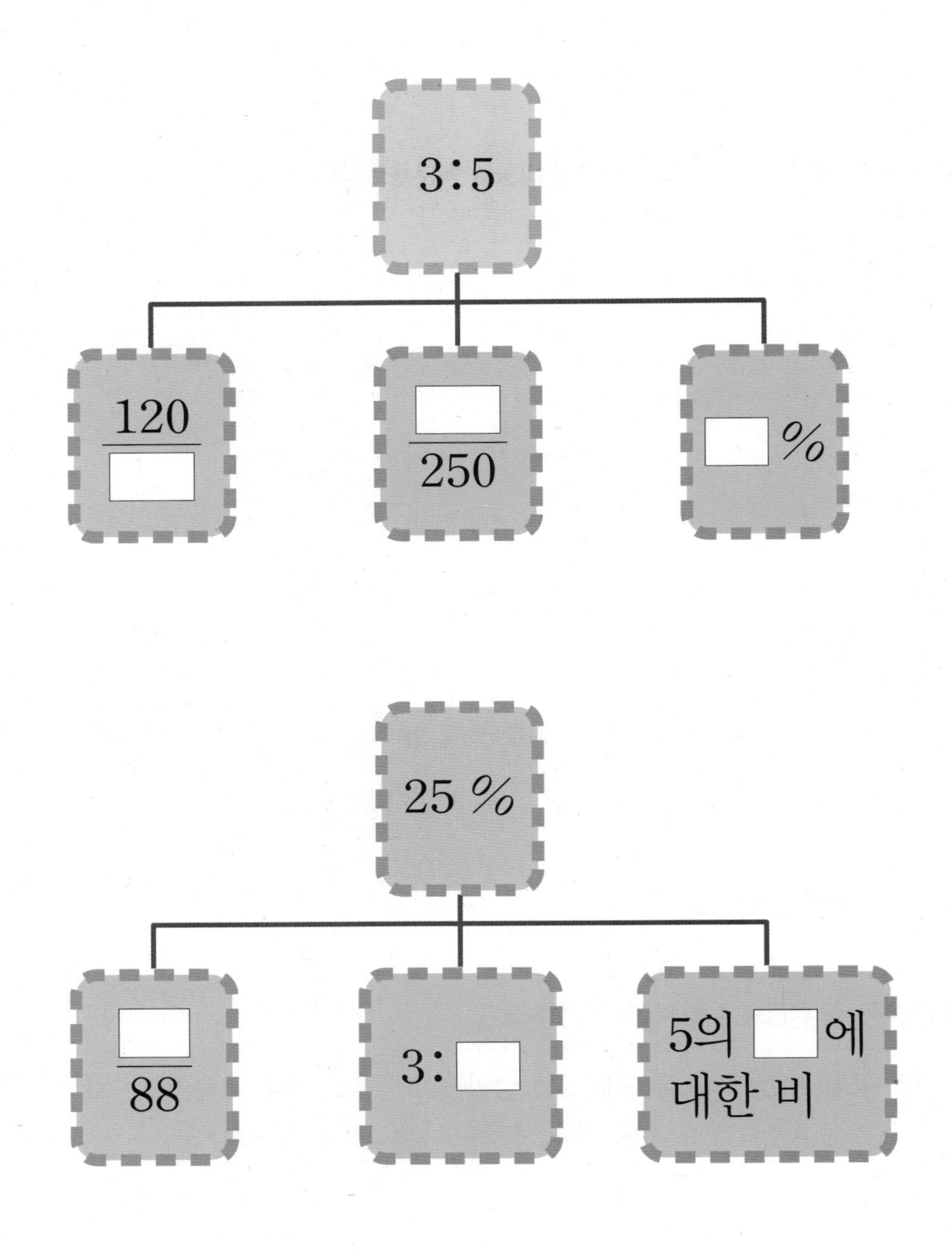

5

여러 가지 그래프

공부할 내용	공부한 날
15 띠그래프	월 일
16 원그래프	월 일
17 그래프 해석하기	월 일

15 띠그래프

우리는 **[수학 3-2]**에서 그림그래프, **[수학 4-1]**에서 막대그래프, **[수학 4-2]**에서 꺾은선그래프를 알아보았습니다.

그림그래프는 조사한 수를 그림으로 나타낸 그래프로, 자료의 많고 적음을 쉽게 파악할 수 있었습니다.

막대그래프는 조사한 자료를 막대 모양으로 나타낸 그래프로, 막대의 길이로 수량의 많고 적음을 한눈에 쉽게 비교할 수 있었습니다.

꺾은선그래프는 수량을 점으로 표시하고 그 점들을 선분으로 이어 그린 그래프로, 수량이 변화하는 모양과 정도를 쉽게 알 수 있었고 조사하지 않은 중간 값을 예상할 수도 있었습니다.

▲ 그림그래프

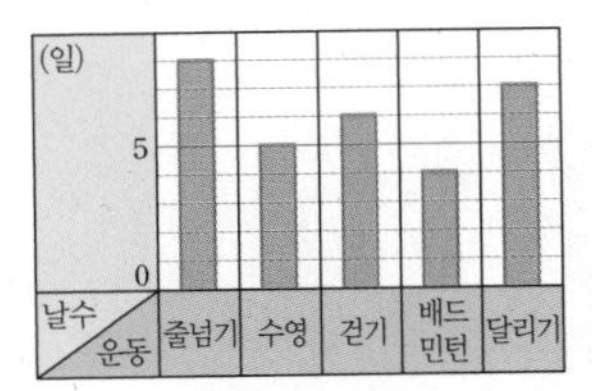

▲ 막대그래프

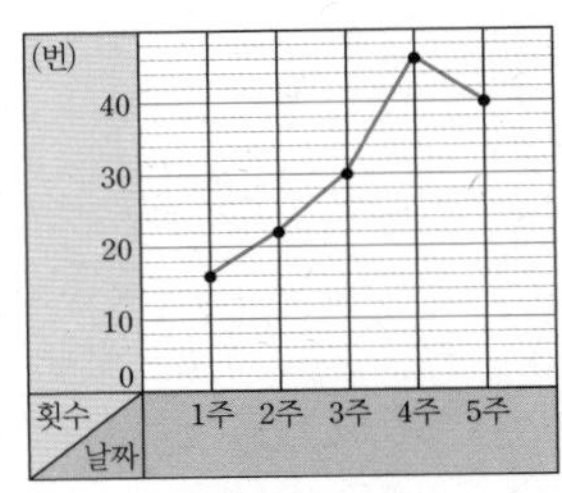

▲ 꺾은선그래프

그렇다면 전체에 대한 각 부분의 비율을 그래프로 어떻게 나타낼까요?

전체에 대한 각 부분의 비율을 띠 모양에 나타낸 그래프를 **띠그래프**라고 합니다.

좋아하는 과목별 학생 수

과목	국어	수학	과학	기타	합계
학생 수(명)	12	14	8	6	40
백분율(%)	30	35	20	15	100

좋아하는 과목별 학생 수

0 10 20 30 40 50 60 70 80 90 100(%)

국어 (30 %)	수학 (35 %)	과학 (20 %)	기타 (15 %)

띠그래프로 나타내는 방법을 순서대로 정리하면 다음과 같습니다.

① 자료를 보고 각 항목의 백분율을 구합니다.
② 각 항목의 백분율의 합계가 100 %가 되는지 확인합니다.
③ 각 항목이 차지하는 백분율의 크기만큼 선을 그어 띠를 나눕니다.
④ 나눈 부분에 각 항목의 내용과 백분율을 씁니다.
⑤ 띠그래프의 제목을 씁니다.

띠그래프는 비율이 높을수록 차지하는 항목의 길이가 길어집니다.

띠그래프는 전체에 대한 각 부분의 비율을 한눈에 알아보기 쉽고, 각 항목끼리의 비율을 비교하기도 쉽습니다.

풍산자 비법

띠그래프 ⇨ 전체에 대한 각 부분의 비율을 띠 모양에 나타낸 그래프

예제 따라 풀어보는 연산

예제 1

혈액형별 학생 수

혈액형	O형	A형	B형	AB형	합계
학생 수(명)	12	9	6	3	30
백분율(%)					

O형의 백분율 ⇨ $\frac{12}{30} \times 100 = 40(\%)$

01 A형의 백분율 ⇨

02 B형의 백분율 ⇨

03 AB형의 백분율 ⇨

04 합계의 백분율 ⇨

예제 2

반별 학생 수

반	1반	2반	3반	4반	5반	합계
학생 수(명)	12	8	10	6	4	40
백분율(%)	30	20	25	15	10	100

반별 학생 수

0 10 20 30 40 50 60 70 80 90 100(%)

1반 (30 %) | 2반 (20 %) | 3반 (25 %) | 4반 (15 %) | 5반(10 %)

05

좋아하는 과일별 학생 수

과일	딸기	사과	수박	기타	합계
학생 수(명)	32	24	20	4	80
백분율(%)	40	30	25	5	100

좋아하는 과일별 학생 수

0 10 20 30 40 50 60 70 80 90 100(%)

06

좋아하는 색깔별 학생 수

색깔	노란색	파란색	빨간색	초록색	합계
학생 수(명)	9	5	4	2	20
백분율(%)	45	25	20	10	100

좋아하는 색깔별 학생 수

0 10 20 30 40 50 60 70 80 90 100(%)

스스로 풀어보는 연산

[07-08] 하영이네 마을 직장인들의 출근 방법을 조사하여 나타낸 표입니다. 물음에 답하시오.

출근 방법별 직장인 수

출근 방법	지하철	도보	버스	자전거	합계
직장인 수(명)	54	30	24	12	120

07 출근 방법별로 백분율을 구하여 표를 완성하시오.

출근 방법별 직장인 수

출근 방법	지하철	도보	버스	자전거	합계
백분율(%)	45			10	

08 □ 안에 알맞은 것을 써넣으시오.

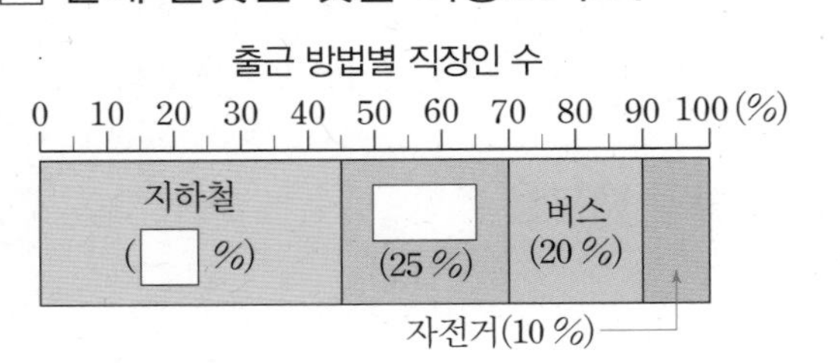

[09-10] 동인이네 학교 6학년 학생들이 좋아하는 운동을 조사하여 나타낸 표입니다. 물음에 답하시오.

좋아하는 운동별 학생 수

운동 경기	축구	야구	농구	기타	합계
학생 수(명)	105	90	60	45	300

09 운동 경기별로 백분율을 구하여 표를 완성하시오.

좋아하는 운동별 학생 수

운동 경기	축구	야구	농구	기타	합계
백분율(%)					

10 □ 안에 알맞은 것을 써넣으시오.

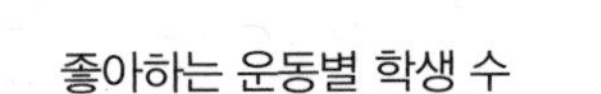
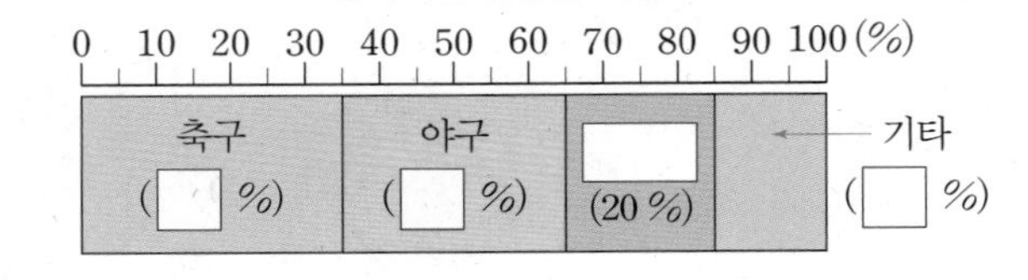

[11-12] 선우네 반 학생들이 좋아하는 간식을 조사하여 나타낸 띠그래프입니다. 물음에 답하시오.

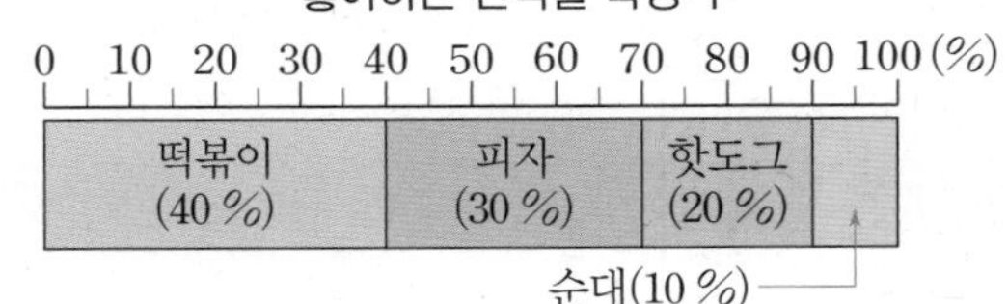

11 가장 많은 학생들이 좋아하는 간식은 무엇인지 구하시오.

12 피자를 좋아하는 학생은 핫도그를 좋아하는 학생의 몇 배인지 구하시오.

응용 연산

13 진원이네 학교 학생들이 좋아하는 계절을 조사하여 나타낸 띠그래프입니다. 가장 많은 학생들이 좋아하는 계절의 비율은 전체의 몇 %인지 구하시오.

좋아하는 계절별 학생 수

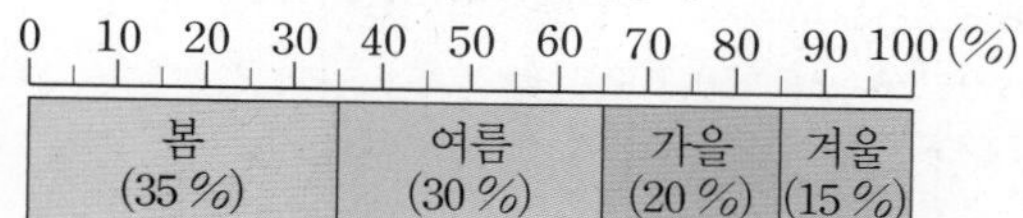

14 서영이네 반 학생들이 기르고 싶어 하는 애완동물을 조사하여 나타낸 띠그래프입니다. 가장 많은 학생들이 기르고 싶어 하는 애완동물의 비율은 전체의 몇 %인지 구하시오.

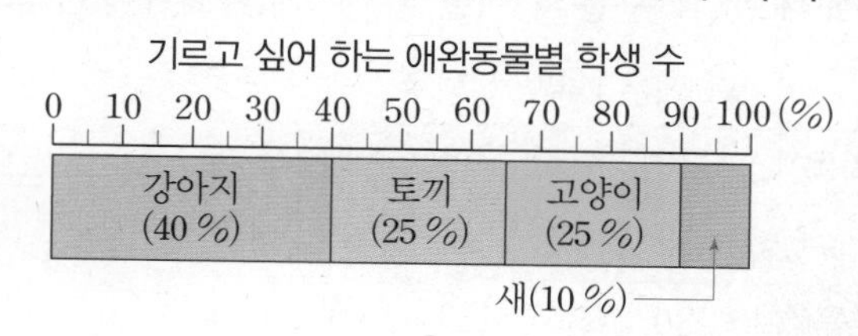

15 주영이네 학교 학생의 취미를 조사하여 나타낸 띠그래프입니다. 가장 적은 학생들의 취미의 비율은 전체의 몇 %인지 구하시오.

취미별 학생 수

0 10 20 30 40 50 60 70 80 90 100(%)

컴퓨터 (40 %) | 운동 (25 %) | 독서 (15 %) | 음악감상(15 %) | 등산 (5 %)

16 희수네 마을의 성씨를 조사하여 나타낸 것입니다. 가장 적은 성씨의 비율은 전체의 몇 % 인지 구하시오.

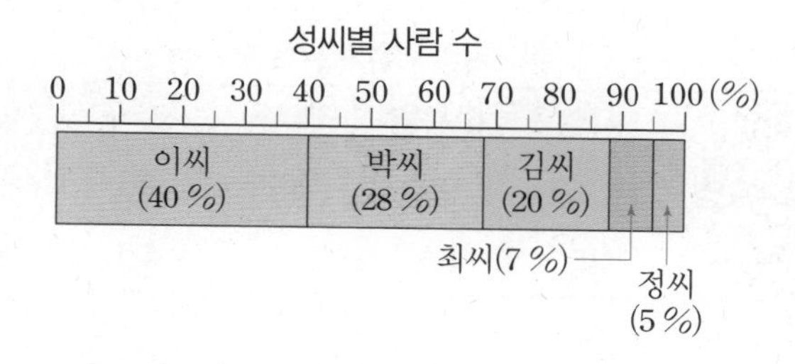

17 현아네 학교 6학년 학생들이 좋아하는 과목을 조사하여 나타낸 표입니다. 표를 완성하고 띠그래프로 나타내시오.

좋아하는 과목별 학생 수

과목	국어	음악	과학	수학	기타	합계
학생 수(명)	80	50	40	20	10	200
백분율(%)						

좋아하는 과목별 학생 수

0 10 20 30 40 50 60 70 80 90 100(%)

18 민정이네 학교 6학년 학생들이 친해지고 싶은 친구의 유형을 조사하여 나타낸 표입니다. 표를 완성하고 띠그래프로 나타내시오.

친해지고 싶은 친구 유형별 학생 수

유형	긍정적인 친구	착한 친구	재미있는 친구	똑똑한 친구	기타	합계
학생 수(명)	90	50	30	20	10	200
백분율(%)						

친해지고 싶은 친구 유형별 학생 수

0 10 20 30 40 50 60 70 80 90 100(%)

16 원그래프

우리는 앞 단원에서 띠그래프를 알아보았습니다.
전체에 대한 각 부분의 비율을 띠 모양에 나타낸 그래프를 띠그래프라고 하였습니다.

좋아하는 과목별 학생 수

과목	국어	수학	과학	기타	합계
학생 수(명)	12	14	8	6	40
백분율(%)	30	35	20	15	100

좋아하는 과목별 학생 수

0 10 20 30 40 50 60 70 80 90 100(%)

국어 (30 %)	수학 (35 %)	과학 (20 %)	기타 (15 %)

그렇다면 전체에 대한 각 부분의 비율을 다른 모양의 그래프로도 나타낼 수 있을까요?
전체에 대한 각 부분의 비율을 원 모양에 나타낸 그래프를 **원그래프**라고 합니다.

원그래프는 비율이 높을수록 차지하는 항목의 넓이가 넓어집니다.

부모님의 직업별 학생 수

직업	사업	회사원	공무원	기타	합계
학생 수(명)	135	90	45	30	300
백분율(%)	45	30	15	10	100

부모님의 직업별 학생 수

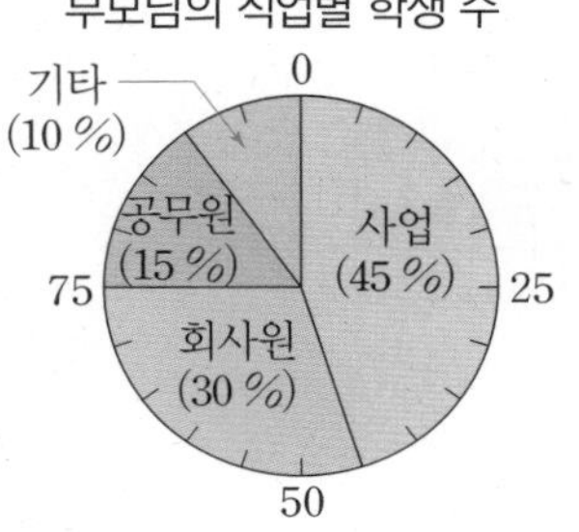

원그래프로 나타내는 방법을 순서대로 정리하면 다음과 같습니다.

① 자료를 보고 각 항목의 백분율을 구합니다.
② 각 항목의 백분율의 합계가 100 %가 되는지 확인합니다.
③ 각 항목이 차지하는 백분율의 크기만큼 선을 그어 원을 나눕니다.
④ 나눈 부분에 각 항목의 내용과 백분율을 씁니다.
⑤ 원그래프의 제목을 씁니다.

띠그래프와 원그래프는 나타내어지는 모양만 다를 뿐, 백분율을 이용하여 비율로 나타낸다는 점에서 같습니다.

원그래프는 전체에 대한 각 부분의 비율을 한눈에 알아보기 쉽고, 각 항목끼리의 비율을 비교하기도 쉽습니다.

풍산자 비법

원그래프 ⇨ 전체에 대한 각 부분의 비율을 원 모양에 나타낸 그래프

예제 따라 풀어보는 연산

예제 1

받고 싶은 선물별 학생 수

선물	게임기	학용품	책	기타	합계
학생 수(명)	18	10	8	4	40
백분율(%)					

게임기의 백분율 ⇨ $\frac{18}{40}\times100=45(\%)$

01 학용품의 백분율 ⇨

02 책의 백분율 ⇨

03 기타의 백분율 ⇨

04 합계의 백분율 ⇨

예제 2

가고 싶은 나라별 학생 수

나라	미국	일본	중국	기타	합계
학생 수(명)	27	18	12	3	60
백분율(%)	45	30	20	5	100

가고 싶은 나라별 학생 수

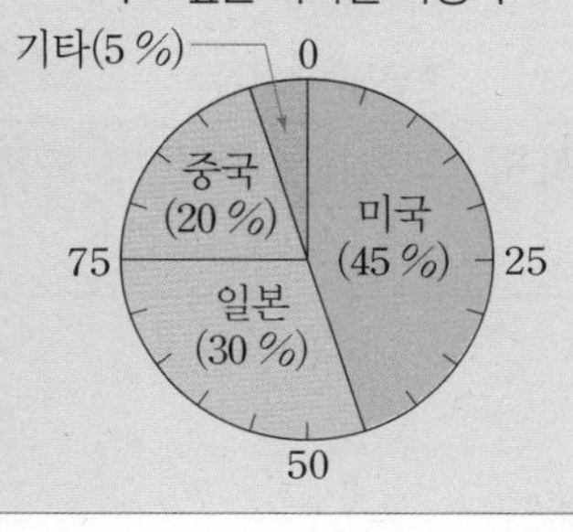

05

좋아하는 과일별 학생 수

과일	딸기	사과	수박	기타	합계
학생 수(명)	16	12	10	2	40
백분율(%)	40	30	25	5	100

좋아하는 과일별 학생 수

06

취미 활동별 학생 수

취미 활동	독서	오락	운동	음악	기타	합계
학생 수(명)	24	20	16	12	8	80
백분율(%)	30	25	20	15	10	100

취미 활동별 학생 수

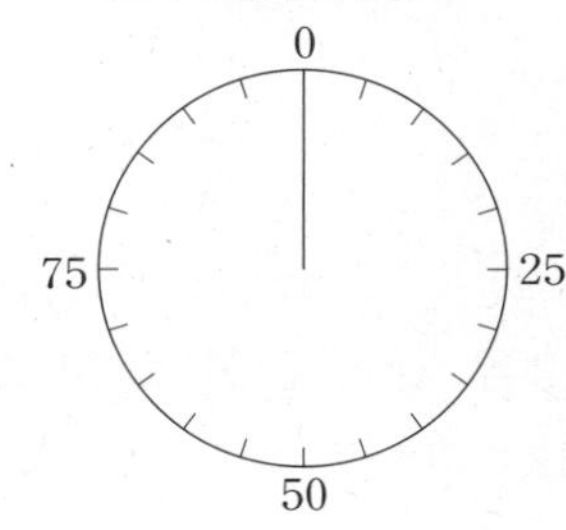

스스로 풀어보는 연산

[07-08] 나은이네 반 학생들이 좋아하는 과일을 조사하여 나타낸 표입니다. 물음에 답하시오.

좋아하는 과일별 학생 수

과일	바나나	수박	포도	기타	합계
학생 수(명)	14	10	10	6	40

07 과일별로 백분율을 구하여 표를 완성하시오.

좋아하는 과일별 학생 수

과일	바나나	수박	포도	기타	합계
백분율(%)	35	25			

08 □ 안에 알맞은 것을 써넣으시오.

좋아하는 과일별 학생 수

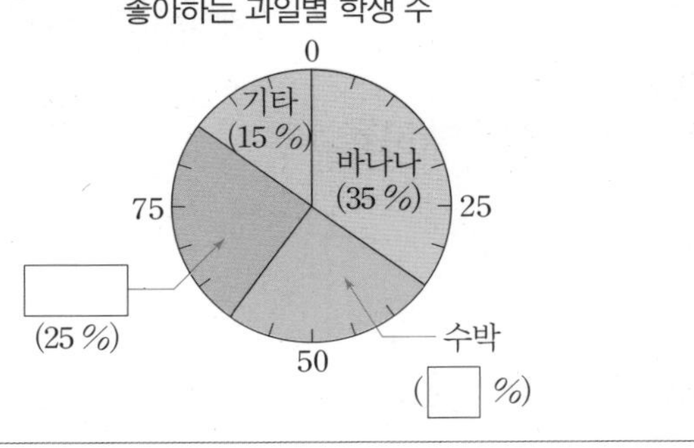

[09-10] 영서네 학교 도서관에 있는 책의 수를 조사하여 나타낸 표입니다. 물음에 답하시오.

종류별 책의 수

종류	동화책	과학책	위인전	기타	합계
책 수(권)	160	100	60	80	400

09 책 종류별로 백분율을 구하여 표를 완성하시오.

종류별 책의 수

종류	동화책	과학책	위인전	기타	합계
백분율(%)					

10 □ 안에 알맞은 것을 써넣으시오.

종류별 책의 수

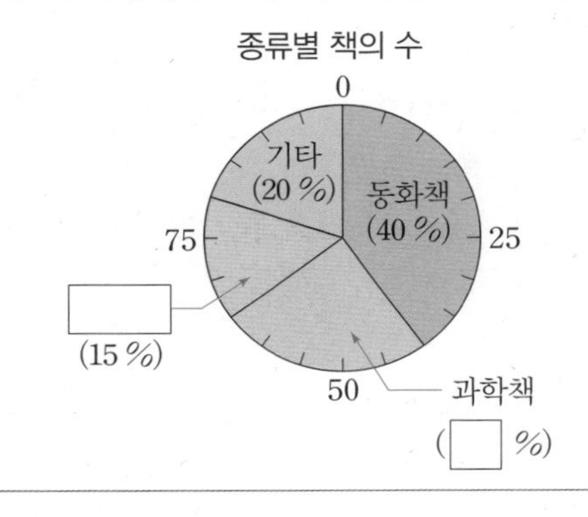

[11-12] 지현이네 학교 6학년 학생들이 좋아하는 급식 메뉴를 조사하여 나타낸 원그래프입니다. 물음에 답하시오.

좋아하는 급식 메뉴별 학생 수

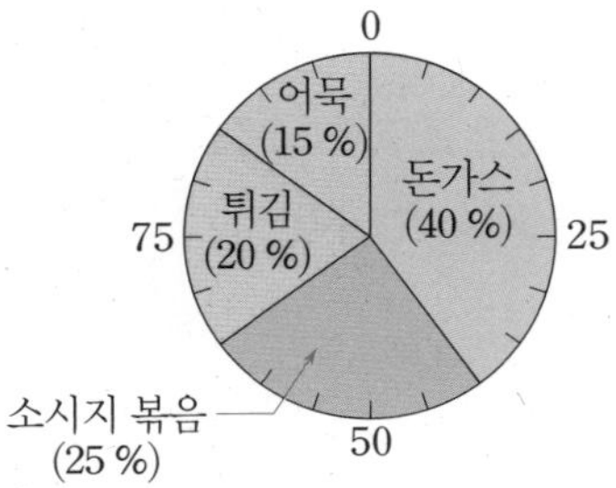

11 가장 많은 학생들이 좋아하는 급식 메뉴는 무엇인지 구하시오.

12 돈가스를 좋아하는 학생은 튀김을 좋아하는 학생의 몇 배인지 구하시오.

응용 연산

13 희영이네 학교 학생들이 좋아하는 문화재를 조사하여 나타낸 원그래프입니다. 가장 많은 학생들이 좋아하는 문화재의 비율은 전체의 몇 %인지 구하시오.

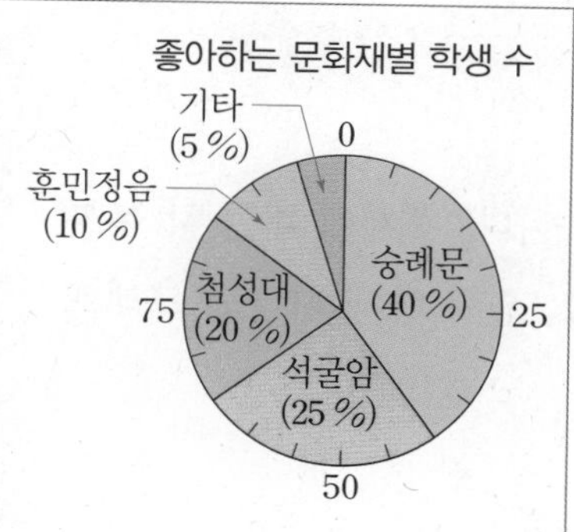

14 미옥이네 반 학급 대표 선거 후보자별 득표 수를 조사하여 나타낸 원그래프입니다. 표를 가장 많이 얻은 후보자의 비율은 전체의 몇 %인지 구하시오.

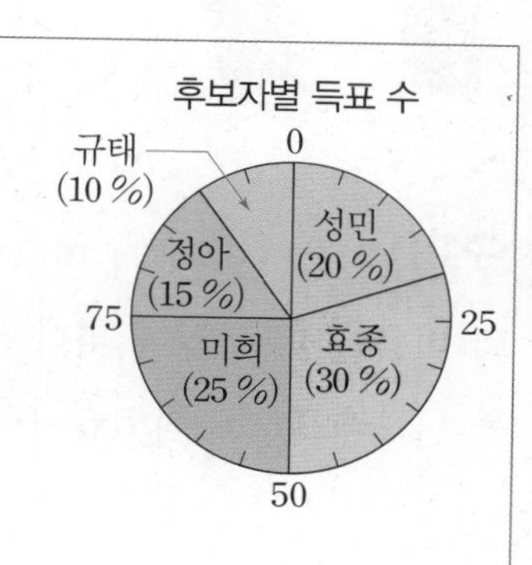

15 주아네 학교 학생들이 좋아하는 과목을 조사하여 나타낸 원그래프입니다. 가장 적은 학생들이 좋아하는 과목의 비율은 전체의 몇 %인지 구하시오.

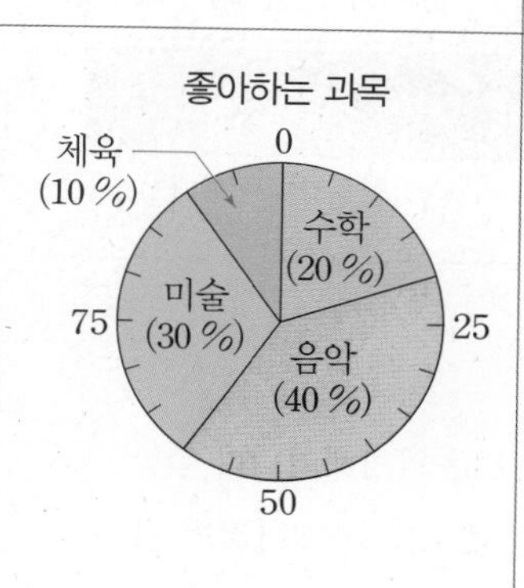

16 인수네 학교 학생들이 방학 동안 하고 싶은 일을 조사하여 나타낸 원그래프입니다. 가장 적은 학생들이 하고 싶은 일의 비율은 전체의 몇 %인지 구하시오.

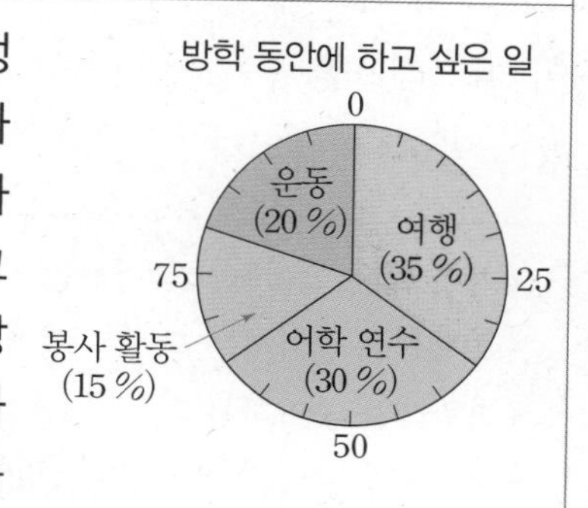

17 요한이네 학교에서 실시한 전교 회장 선거 후보자별 득표 수를 조사하여 나타낸 표입니다. 표를 완성하고 원그래프로 나타내시오.

후보자별 득표 수

후보자	강선화	김현석	나혜실	최지훈	한미옥	합계
득표 수(표)	80	112	48	48	32	320
백분율(%)						

후보자별 득표 수

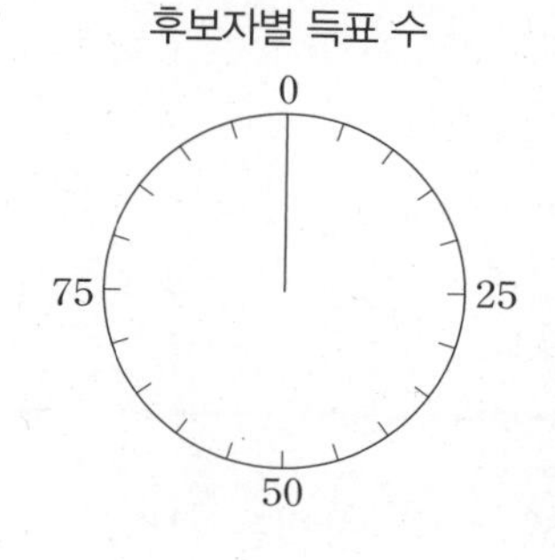

18 선사관에 있는 시대별 문화재 수를 나타낸 표입니다. 표를 완성하고 원그래프로 나타내시오.

시대별 문화재 수

시대	구석기	신석기	청동기	철기	합계
문화재 수(점)	500	1000	1500	2000	5000
백분율(%)					

시대별 문화재 수

17 그래프 해석하기

우리는 앞 단원에서 띠그래프와 원그래프를 알아보았습니다. 전체에 대한 각 부분의 비율을 띠 모양에 나타낸 그래프를 띠그래프라고 하고, 원 모양에 나타낸 그래프를 원그래프라고 하였습니다.

띠그래프와 원그래프는 전체에 대한 각 부분의 비율을 한눈에 알아보기 쉽고, 각 항목끼리의 비율을 비교하기 쉽습니다.

그렇다면 띠그래프와 원그래프를 보고 어떤 내용을 알 수 있을까요?

영우네 반 학생들이 좋아하는 색깔을 조사하여 띠그래프로 나타내었습니다. 이 띠그래프를 통하여 다음과 같은 내용을 알 수 있습니다.

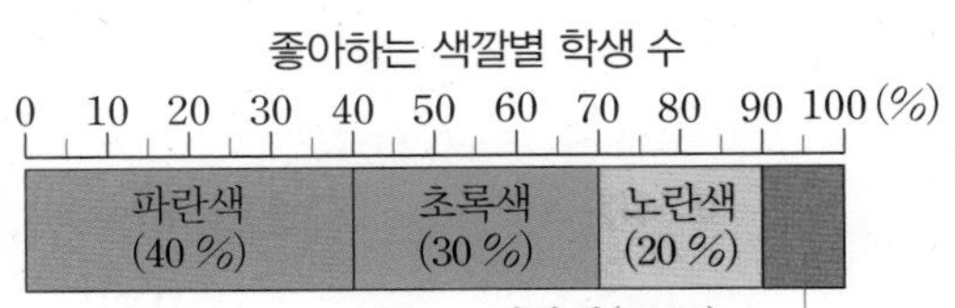

- 가장 많은 학생들이 좋아하는 색깔은 파란색입니다.
- 초록색을 좋아하는 학생은 전체 학생의 30 %입니다.
- 파란색을 좋아하는 학생의 비율은 노란색을 좋아하는 학생의 비율의 2배입니다.
- 빨간색을 좋아하는 학생이 5명이라면 초록색을 좋아하는 학생은 $5 \times 3 = 15$(명)입니다.

지우네 반 학생들이 좋아하는 과목을 조사하여 원그래프로 나타내었습니다. 이 원그래프를 통하여 다음과 같은 내용을 알 수 있습니다.

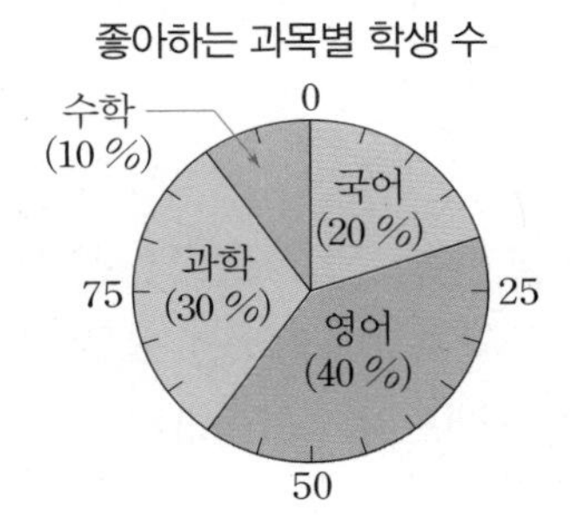

- 가장 적은 학생들이 좋아하는 과목은 수학입니다.
- 과학을 좋아하는 학생은 전체 학생의 30 %입니다.
- 좋아하는 과목 중 비율이 20 % 이하인 과목은 수학과 국어입니다.
- 좋아하는 과목 중 영어 또는 과학을 좋아하는 학생은 전체 학생의 70 %입니다.

풍산자 비법

띠그래프와 원그래프는 모양만 다를 뿐 해석하는 방법은 같다.

예제 따라 풀어보는 연산

예제 1 **민준이네 반 학생들이 생일에 받고 싶은 선물을 조사하여 나타낸 띠그래프입니다.**

받고 싶은 선물별 학생 수

0 10 20 30 40 50 60 70 80 90 100(%)

휴대 전화 (45 %)	운동화 (30 %)	책 (15 %)	기타 (10 %)

휴대 전화를 받고 싶은 학생 수는 책을 받고 싶은 학생 수의 몇 배인지 구하시오.

⇨ 휴대 전화를 받고 싶은 학생은 45 %, 책을 받고 싶은 학생은 15 %이므로 $45 \div 15 = 3$(배)입니다.

01 운동화를 받고 싶은 학생 수는 책을 받고 싶은 학생 수의 몇 배인지 구하시오.

02 운동화를 받고 싶은 학생이 12명이라면 전체 학생은 몇 명인지 구하시오.

03 운동화를 받고 싶은 학생이 12명이라면 기타에 속하는 학생은 몇 명인지 구하시오.

04 책을 받고 싶은 학생이 6명이라면 휴대 전화를 받고 싶은 학생은 몇 명인지 구하시오.

예제 2 **민하네 학교 학생들의 좋아하는 과목을 조사하여 나타낸 원그래프입니다.**

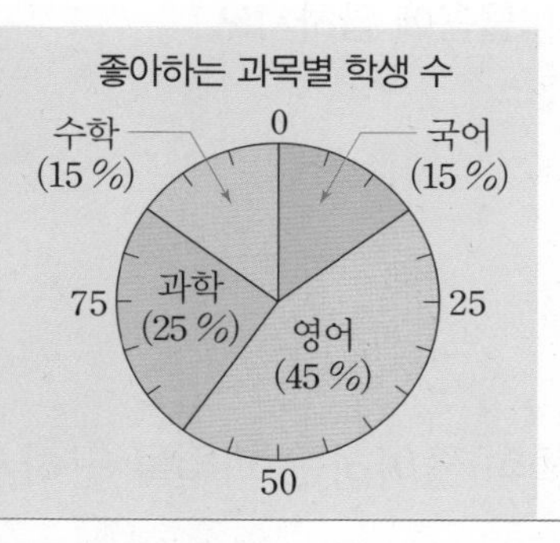

원그래프에서 가장 넓은 부분의 항목을 쓰시오. (영어)

05 두 번째로 많은 학생들이 좋아하는 과목을 구하시오.

06 영어를 좋아하는 학생 수는 국어를 좋아하는 학생 수의 몇 배인지 구하시오.

07 수학을 좋아하는 학생이 30명이라면 전체 학생 수를 구하시오.

08 영어를 좋아하는 학생이 90명이라면 과학을 좋아하는 학생은 몇 명인지 구하시오.

스스로 풀어보는 연산

[09-12] 희주네 반 학생들이 좋아하는 간식을 조사하여 나타낸 띠그래프입니다. 물음에 답하시오.

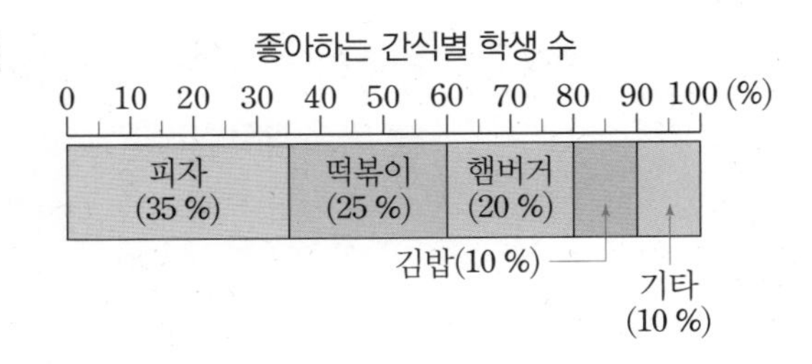

09 가장 많은 학생들이 좋아하는 간식을 구하시오.	**10** 햄버거를 좋아하는 학생 수는 김밥을 좋아하는 학생 수의 몇 배인지 구하시오.
11 피자를 좋아하는 학생 수는 떡볶이를 좋아하는 학생 수의 몇 배인지 구하시오.	**12** 희주네 반 학생이 40명일 때, 김밥을 좋아하는 학생은 몇 명인지 구하시오.

[13-16] 민소네 학교 학생들이 좋아하는 과일을 조사하여 나타낸 원그래프입니다. 물음에 답하시오.

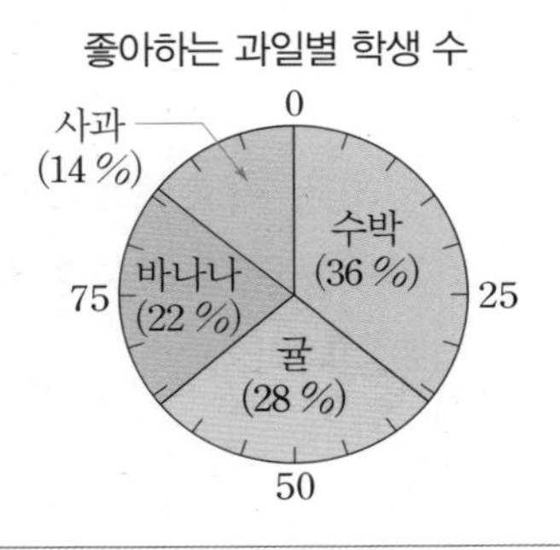

13 가장 많은 학생들이 좋아하는 과일을 구하시오.	**14** 귤을 좋아하는 학생은 전체의 몇 %인지 구하시오.
15 사과를 좋아하는 학생은 귤을 좋아하는 학생의 몇 배인지 구하시오.	**16** 민소네 학교 학생 수가 200명일 때, 바나나를 좋아하는 학생은 몇 명인지 구하시오.

응용 연산

[17-20] 지은이네 학교 학생들이 좋아하는 동물을 조사하여 나타낸 띠그래프입니다. 물음에 답하시오.

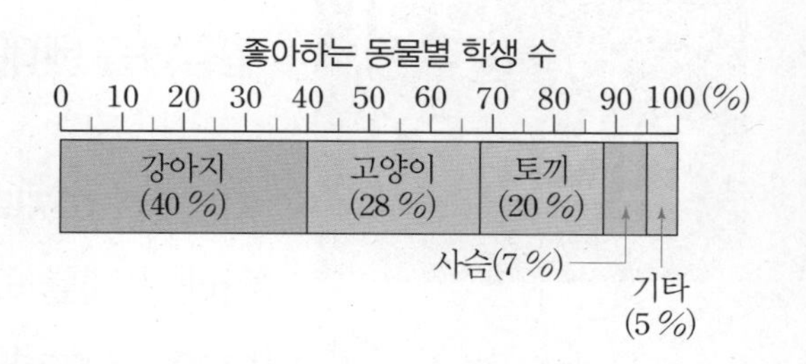

17 두 번째와 네 번째로 많은 학생들이 좋아하는 동물은 전체의 몇 %인지 구하시오.	**18** 첫 번째와 세 번째로 많은 학생들이 좋아하는 동물은 전체의 몇 %인지 구하시오.
19 강아지를 좋아하는 학생이 200명이라면 토끼를 좋아하는 학생은 몇 명인지 구하시오.	**20** 사슴을 좋아하는 학생이 35명이라면 고양이를 좋아하는 학생은 몇 명인지 구하시오.

[21-24] 하영이네 학교 학생들이 좋아하는 민속놀이를 조사하여 나타낸 원그래프입니다. 물음에 답하시오.

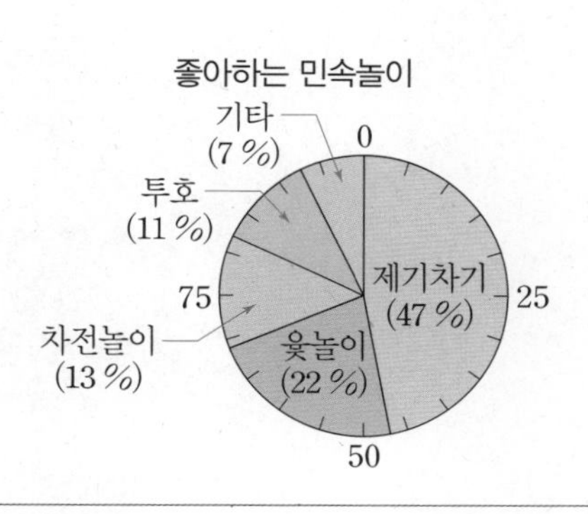

21 두 번째와 네 번째로 많은 학생들이 좋아하는 민속놀이는 전체의 몇 %인지 구하시오.	**22** 첫 번째와 세 번째로 많은 학생들이 좋아하는 민속놀이는 전체의 몇 %인지 구하시오.
23 전체 학생 수가 300명이라면 차전놀이 또는 투호를 좋아하는 학생은 몇 명인지 구하시오.	**24** 제기차기 또는 투호를 좋아하는 학생이 116명이라면 전체 학생은 몇 명인지 구하시오.

재미있게, 우리 연산하자!

지금까지 우리는 여러 가지 그래프를 배웠습니다.
힘들었을 텐데, 잘 풀었어요!

자, 그럼 마지막으로 지금까지 배운 여러 가지 그래프를 모두 이용해서
아래 문제를 해결해 볼까요?
ready~ start!

지수와 영미가 시골 할머니댁 밭에 가려고 합니다. 그런데 할머니댁 밭까지 가려면 다양한 비율을 구해야 도달 할 수 있다고 해요!
도대체 어느 곳이 할머니댁의 밭일까요?

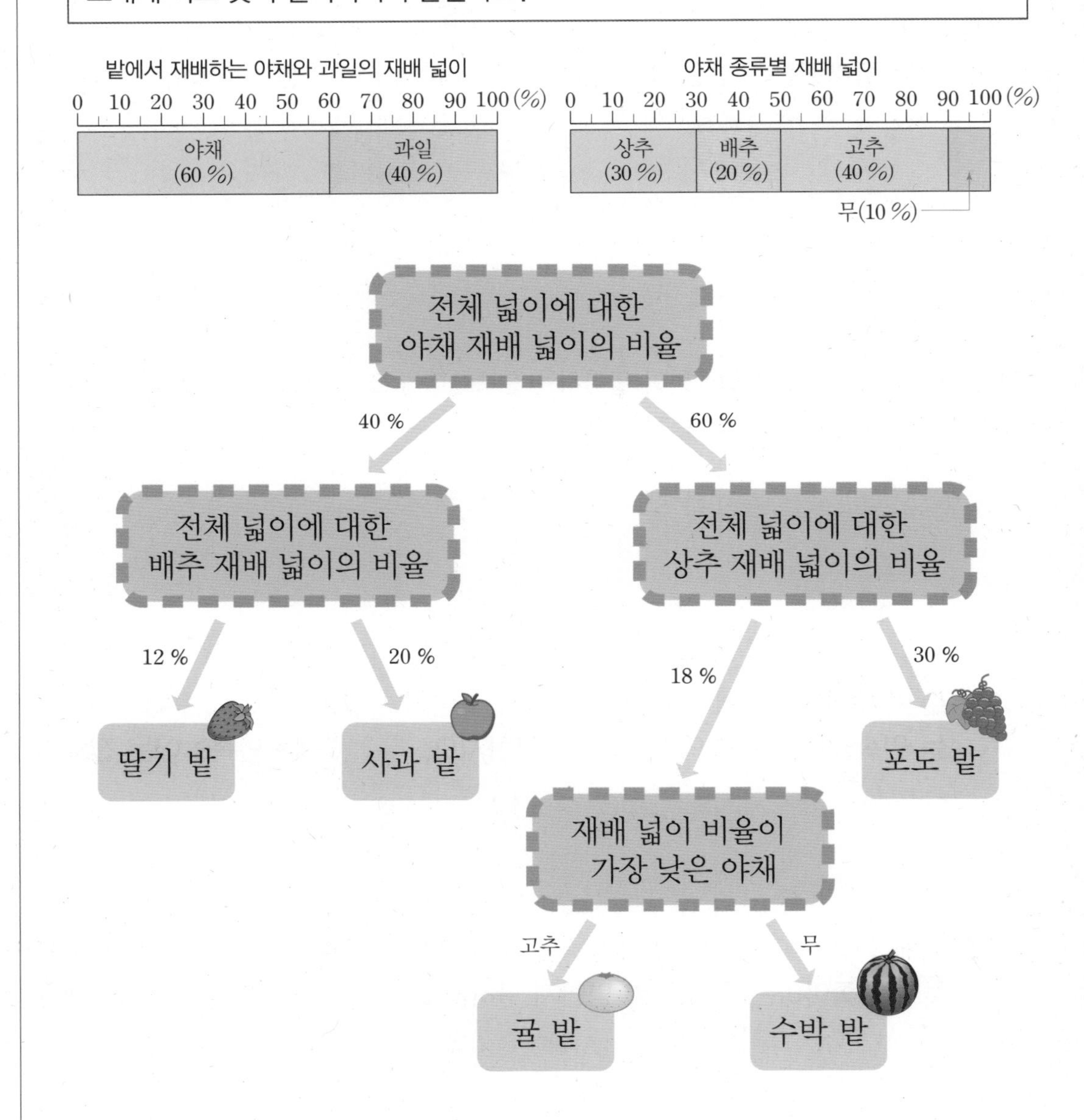

6

직육면체의 부피와 겉넓이

공부할 내용	공부한 날
18 직육면체의 부피	월 일
19 m^3 알아보기	월 일
20 직육면체의 겉넓이	월 일

18 직육면체의 부피

우리는 **[수학 5-1] 6단원** 다각형의 둘레와 넓이에서 여러 가지 평면도형의 넓이 구하는 방법을 알아보았습니다. 여러 가지 평면도형의 넓이는 다음과 같이 구할 수 있습니다.

- (직사각형의 넓이)=(가로)×(세로)
- (정사각형의 넓이)=(한 변의 길이)×(한 변의 길이)
- (평행사변형의 넓이)=(밑변의 길이)×(높이)
- (삼각형의 넓이)=(밑변의 길이)×(높이)÷2
- (마름모의 넓이)=(한 대각선의 길이)×(다른 대각선의 길이)÷2
- (사다리꼴의 넓이)=(윗변의 길이+아랫변의 길이)×(높이)÷2

그렇다면 입체도형인 직육면체의 부피는 어떻게 구할 수 있을까요?

도형의 부피를 나타낼 때 한 모서리의 길이가 1 cm인 정육면체의 부피를 단위로 사용할 수 있습니다.

이 정육면체의 부피를 **1 cm^3**라 쓰고 **1 세제곱센티미터**라고 읽습니다.

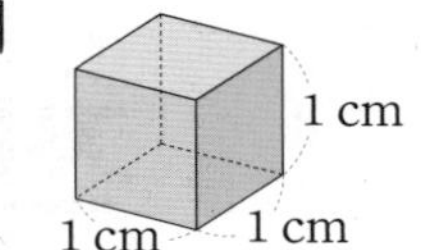

$1\ cm^3$ $1\ cm^3$

어떤 물건이 공간에서 차지하는 크기를 부피라고 합니다.

직육면체의 부피는 부피가 1 cm^3인 쌓기나무의 수를 세어 구하거나 (가로)×(세로)×(높이)로 구할 수 있습니다.

정육면체의 부피는 (한 모서리의 길이)×(한 모서리의 길이)×(한 모서리의 길이)로 구할 수 있습니다.

직육면체와 정육면체의 부피는 (밑면의 넓이)×(높이)로도 구할 수 있습니다.

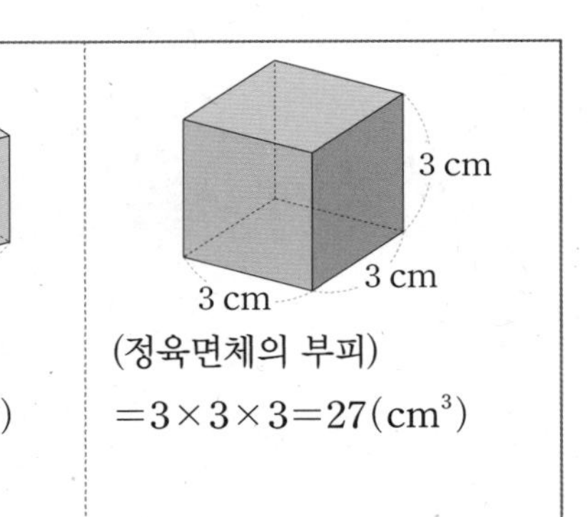

부피가 1 cm^3인 쌓기나무가 4×3×2=24(개)이므로 부피는 24 cm^3입니다.	(직육면체의 부피) =5×6×4=120(cm^3)	(정육면체의 부피) =3×3×3=27(cm^3)

풍산자 비법

❶ (직육면체의 부피)=(가로)×(세로)×(높이)

❷ (정육면체의 부피)=(한 모서리의 길이)×(한 모서리의 길이)×(한 모서리의 길이)

예제 따라 풀어보는 연산

예제 1

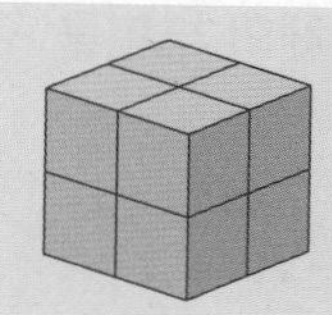

부피가 1 cm^3인 쌓기나무가
$2\times2\times2=8$(개)이므로
부피는 8 cm^3입니다.

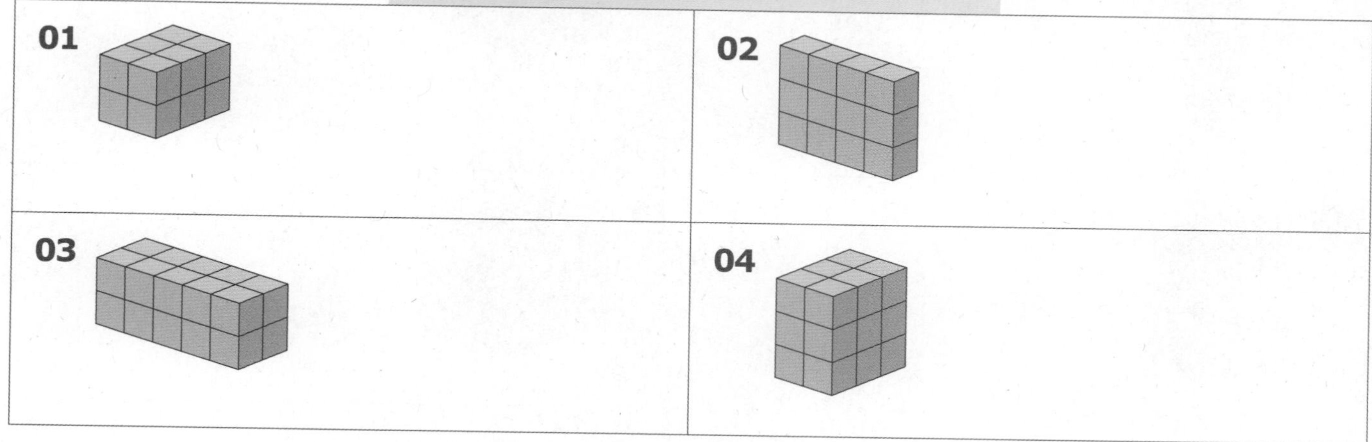

예제 2

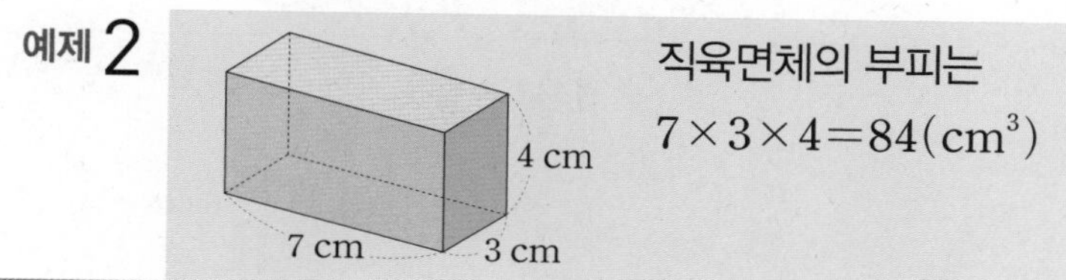

직육면체의 부피는
$7\times3\times4=84(cm^3)$

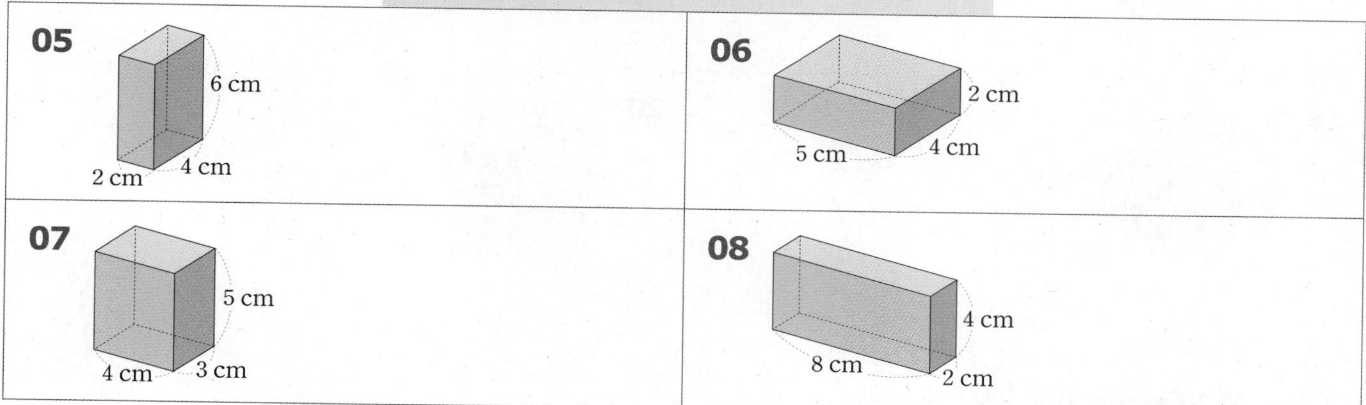

예제 3

한 모서리의 길이가 2 cm인 정육면체의 부피
⇨ (정육면체의 부피)$=2\times2\times2=8(cm^3)$

09 한 모서리의 길이가 3 cm인 정육면체	**10** 한 모서리의 길이가 4 cm인 정육면체
11 한 모서리의 길이가 7 cm인 정육면체	**12** 한 모서리의 길이가 10 cm인 정육면체

스스로 풀어보는 연산

[13-16] 한 모서리의 길이가 1 cm인 쌓기나무의 수를 세어 직육면체의 부피를 구하시오.

13

14

15

16

[17-20] 직육면체의 부피를 구하시오.

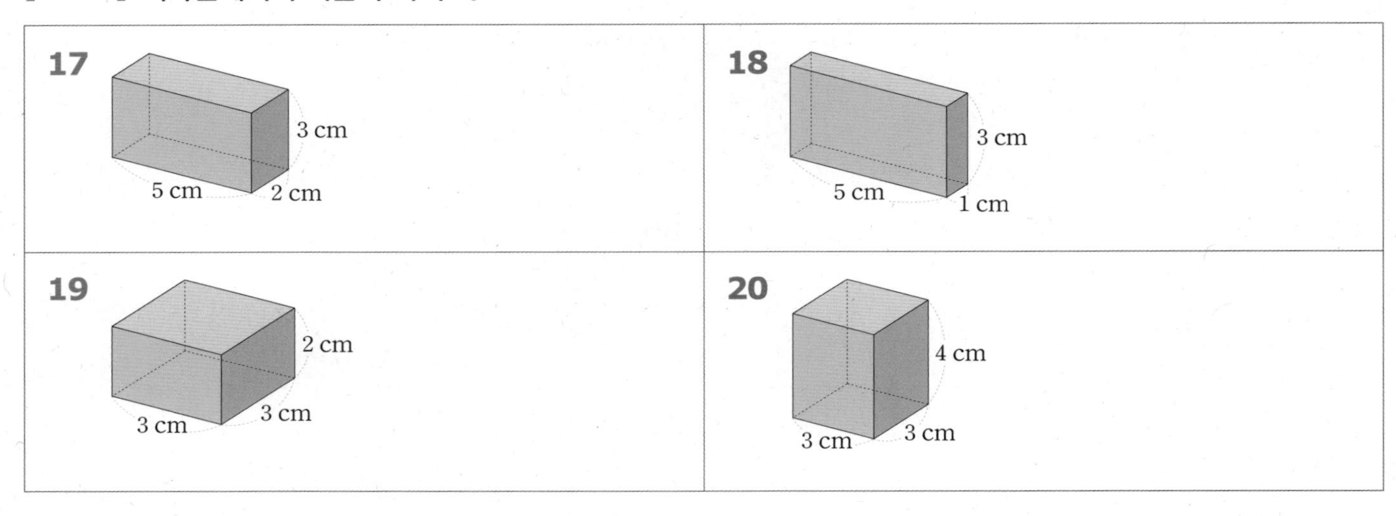

[21-24] 정육면체의 부피를 구하시오.

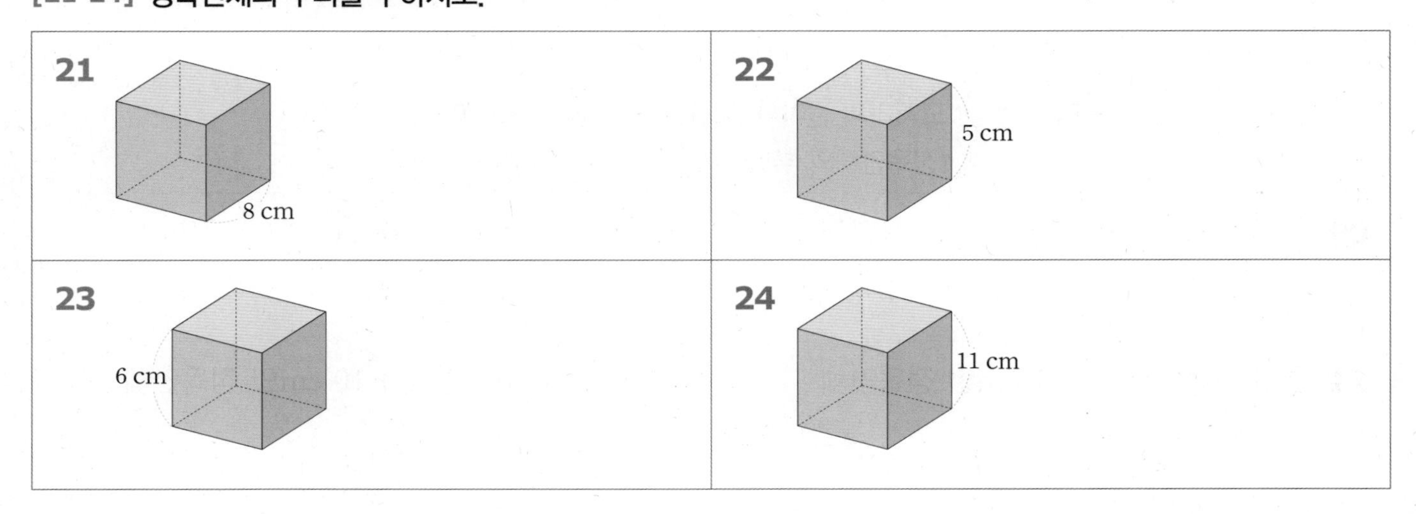

응용 연산

25 밑면의 넓이가 14 cm^2이고 높이가 13 cm인 직육면체의 부피를 구하시오.

26 밑면의 넓이가 25 cm^2이고 높이가 4 cm인 직육면체의 부피를 구하시오.

[27-28] 정육면체 가와 직육면체 나 중에서 부피가 더 큰 것의 기호를 쓰시오.

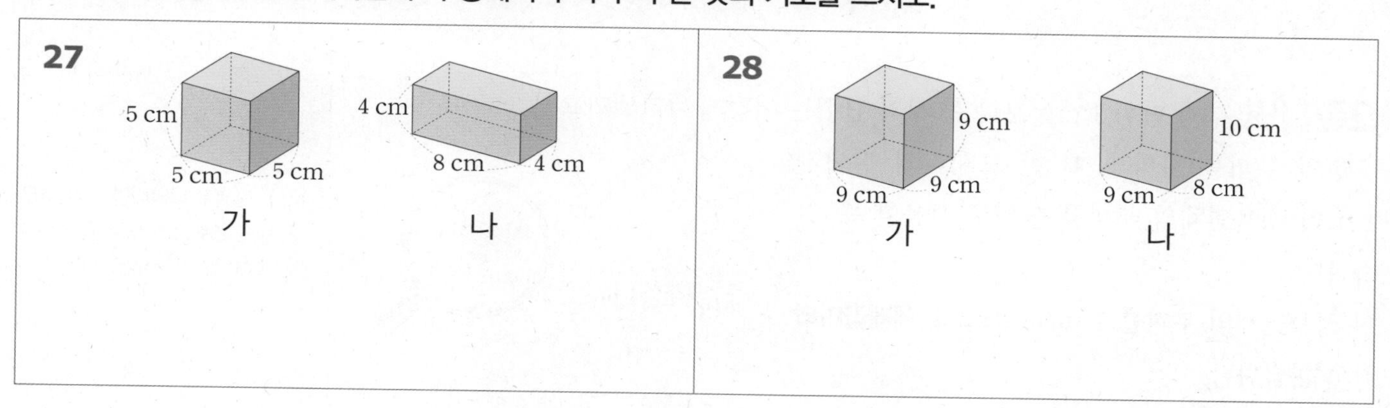

[29-30] 두 직육면체의 부피는 같습니다. □ 안에 알맞은 수를 써넣으시오.

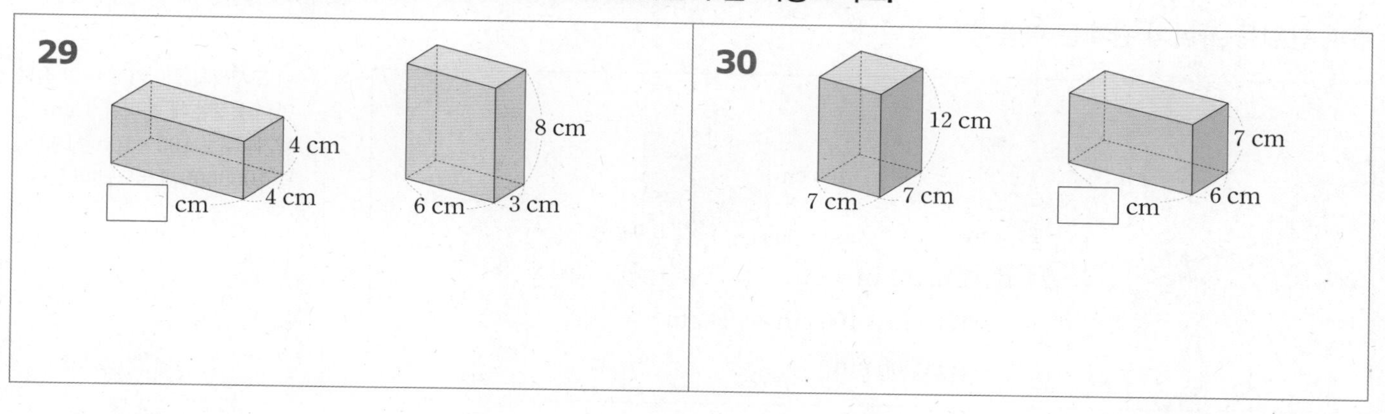

31 부피가 280 cm^3인 직육면체 모양의 상자입니다. 이 상자의 높이를 구하시오.

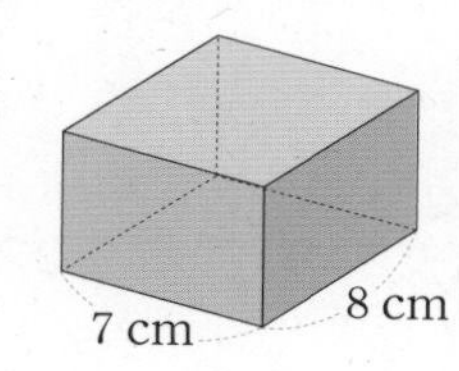

32 부피가 420 cm^3인 직육면체 모양의 상자입니다. 이 상자의 높이를 구하시오.

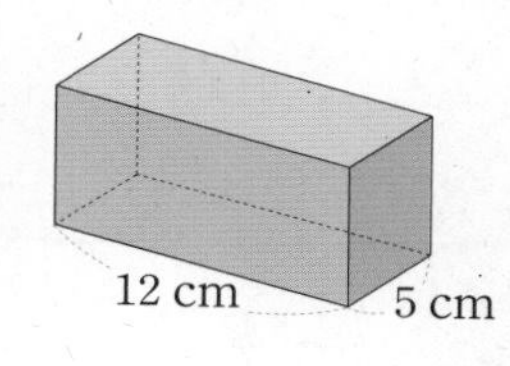

19 m^3 알아보기

우리는 **[수학 5-1] 6단원** 다각형의 둘레와 넓이에서 넓이 단위 cm^2, m^2, km^2를 알아보았습니다.
cm^2 단위로 나타낼 때 수가 너무 커지는 경우 cm^2보다 더 큰 단위인 m^2, km^2 단위를 사용하였고, 이 단위들 사이의 관계는 다음과 같았습니다.

$1\ m^2 = 10000\ cm^2$ $\qquad$ $1\ km^2 = 1000000\ m^2$

그렇다면 부피 단위 $1\ cm^3$보다 큰 부피 단위는 어떻게 나타낼까요?
도형의 부피를 나타낼 때 한 모서리의 길이가 1 m인 정육면체의 부피를 단위로 사용할 수 있습니다.
이 정육면체의 부피를 **1 m^3**라 쓰고 **1 세제곱미터**라고 읽습니다.

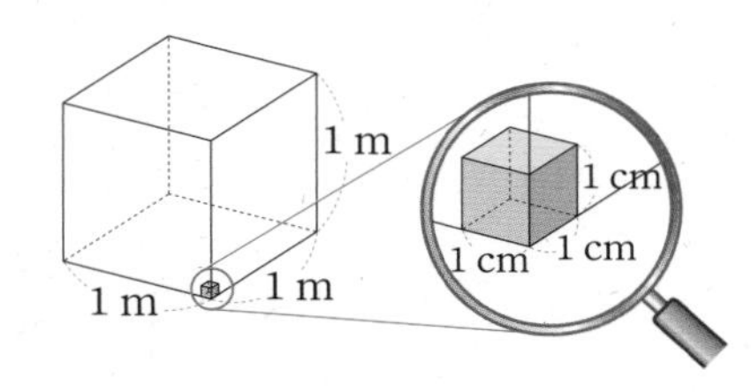

부피 단위들 사이의 관계는 다음과 같습니다.

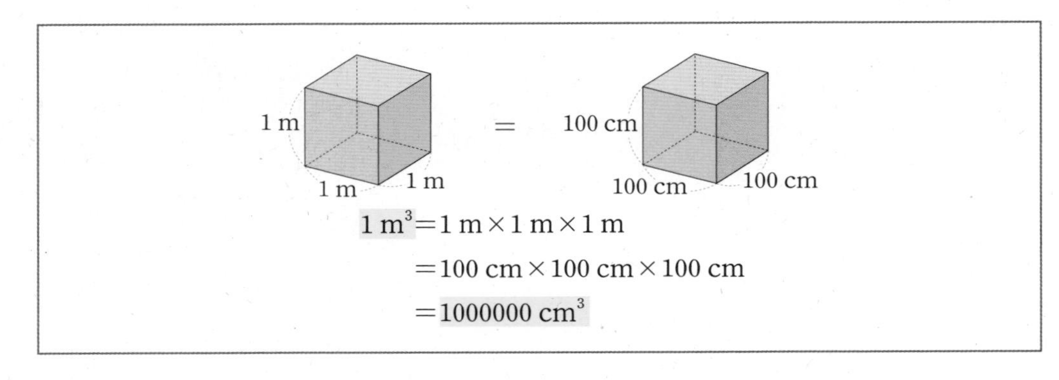

$1\ m^3 = 1\ m \times 1\ m \times 1\ m$
$= 100\ cm \times 100\ cm \times 100\ cm$
$= 1000000\ cm^3$

cm^3 단위로 나타내면 수가 너무 커지는 경우 cm^3보다 더 큰 단위인 m^3 단위를 사용합니다.

한 모서리의 길이가 1 m인 정육면체를 쌓는데 부피가 $1\ cm^3$인 쌓기나무는 $100 \times 100 \times 100$개, 즉 1000000개 필요합니다.

풍산자 비법

$1\ m^3 = 1000000\ cm^3$

예제 따라 풀어보는 연산

예제 1 $1\ \text{m}^3 = 1000000\ \text{cm}^3$

01 $3\ \text{m}^3 =$ ☐ cm^3	**02** $2.5\ \text{m}^3 =$ ☐ cm^3
03 $50000000\ \text{cm}^3 =$ ☐ m^3	**04** $4500000\ \text{cm}^3 =$ ☐ m^3

예제 2

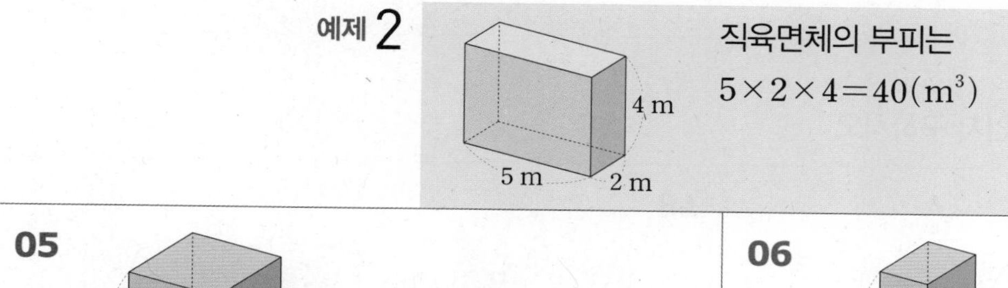

직육면체의 부피는
$5 \times 2 \times 4 = 40(\text{m}^3)$

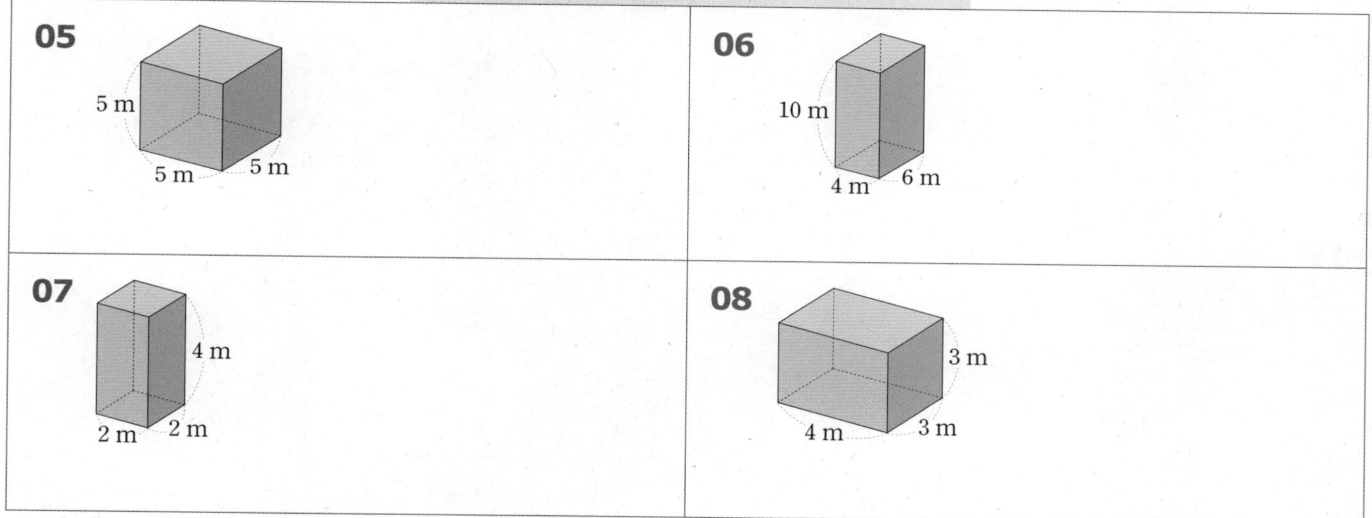

예제 3 한 모서리의 길이가 200 cm인 정육면체
⇨ 부피를 m^3로 나타내면 $2 \times 2 \times 2 = 8(\text{m}^3)$

09 한 모서리의 길이가 300 cm인 정육면체	**10** 한 모서리의 길이가 600 cm인 정육면체
11 한 모서리의 길이가 800 cm인 정육면체	**12** 한 모서리의 길이가 900 cm인 정육면체

스스로 풀어보는 연산

[13-16] □ 안에 알맞은 수를 써넣으시오.

13 $29\ \mathrm{m}^3=$ □ cm^3

14 $4.2\ \mathrm{m}^3=$ □ cm^3

15 $2800000\ \mathrm{cm}^3=$ □ m^3

16 $13000000\ \mathrm{cm}^3=$ □ m^3

[17-20] 직육면체의 부피는 몇 m^3인지 구하시오.

17

6 m
4 m
3 m

18

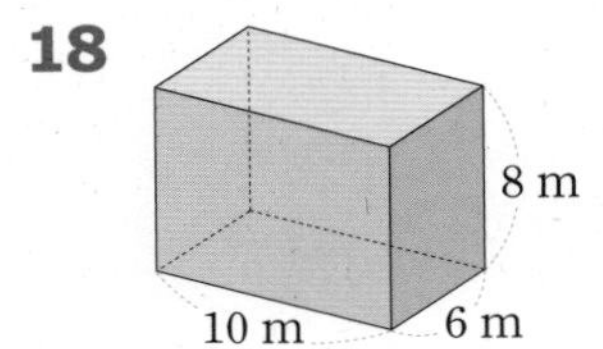

19

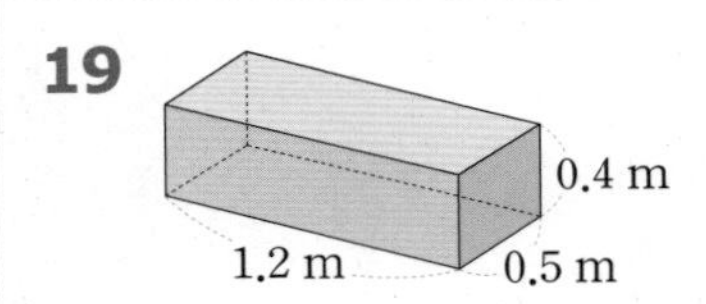

20

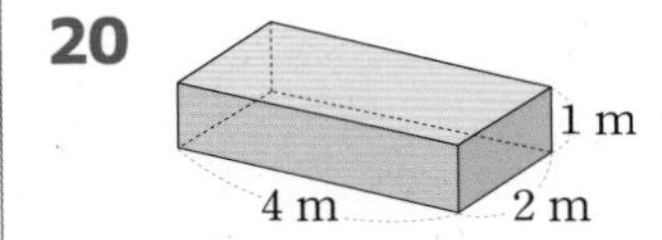

[21-24] 정육면체의 부피는 몇 m^3인지 구하시오.

21

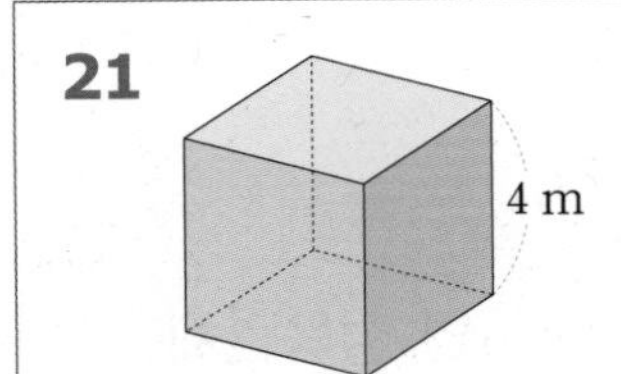

22

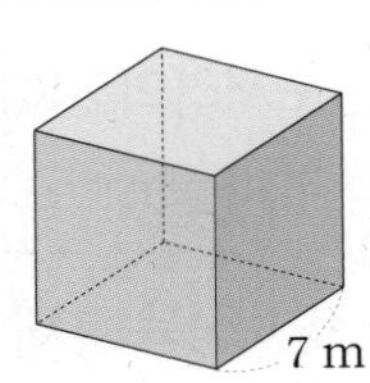

23

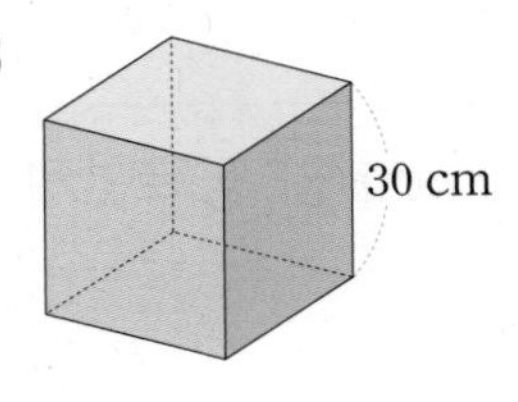

24

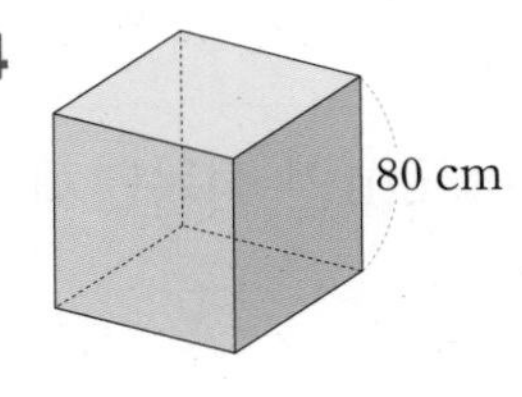

응용 연산

[25-28] 직육면체의 부피는 몇 m^3인지 구하시오.

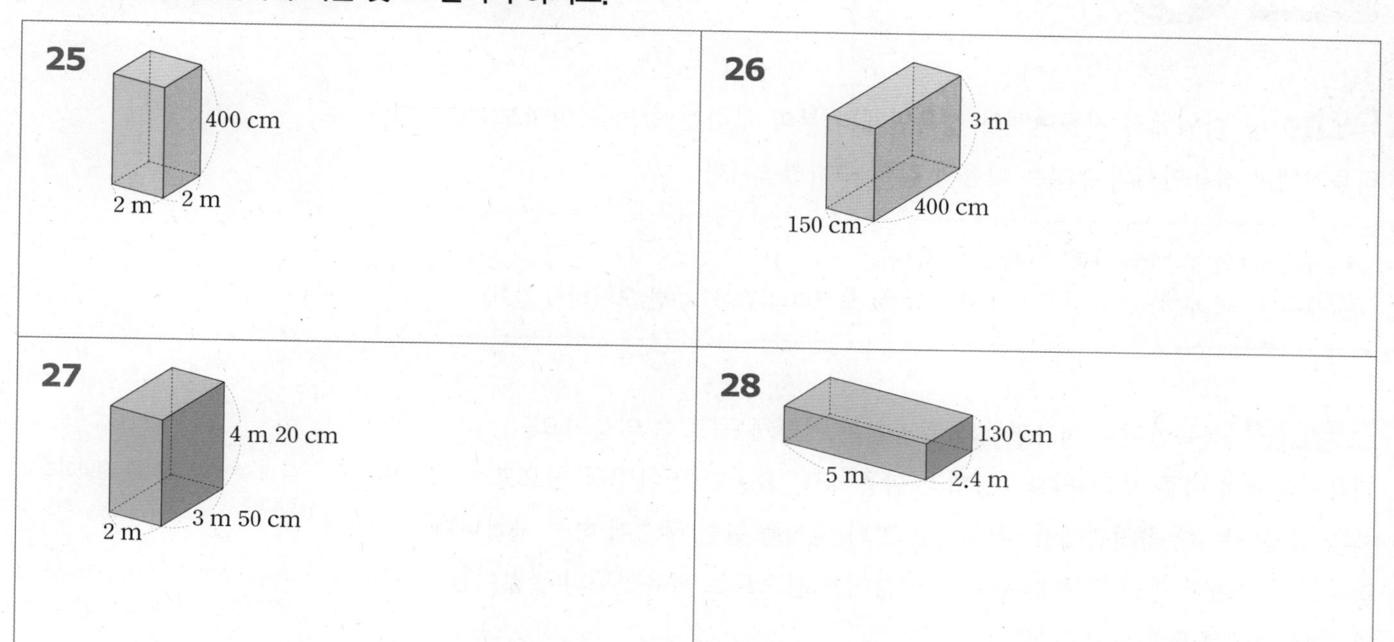

[29-30] 부피가 가장 큰 것의 기호를 쓰시오.

29
㉠ $2.7\ m^3$
㉡ $950000\ cm^3$
㉢ 한 모서리의 길이가 200 cm인 정육면체의 부피
㉣ 가로가 0.8 m, 세로가 3 m, 높이가 80 cm인 직육면체의 부피

30
㉠ $9.2\ m^3$
㉡ $9400000\ cm^3$
㉢ 한 모서리의 길이가 2.1 m인 정육면체의 부피
㉣ 가로가 1.8 m, 세로가 210 cm, 높이가 2.3 m인 직육면체의 부피

31 가로가 4 m, 세로가 2 m, 높이가 3 m인 직육면체 모양의 창고가 있습니다. 이 창고 안에 한 모서리의 길이가 20 cm인 정육면체 모양의 상자를 빈틈없이 쌓으려고 합니다. 정육면체 모양의 상자를 모두 몇 개 쌓을 수 있는지 구하시오.

32 가로가 8 m, 세로가 4 m, 높이가 4 m인 직육면체 모양의 방이 있습니다. 이 방 안에 한 모서리의 길이가 40 cm인 정육면체 모양의 사물함을 빈틈없이 쌓으려고 합니다. 사물함을 모두 몇 개 쌓을 수 있는지 구하시오.

20 직육면체의 겉넓이

우리는 앞 단원에서 직육면체와 정육면체의 부피 구하는 방법을 알아보았습니다.
직육면체와 정육면체의 부피는 다음과 같이 구하였습니다.

- (직육면체의 부피)=(가로)×(세로)×(높이)
- (정육면체의 부피)=(한 모서리의 길이)×(한 모서리의 길이)×(한 모서리의 길이)

그렇다면 직육면체와 정육면체의 겉넓이는 어떻게 구할 수 있을까요?
직육면체에서 마주 보는 직사각형끼리 합동이고, 합동인 면이 3쌍 있으므로 직육면체의 겉넓이는 한 꼭짓점에서 만나는 세 면의 넓이를 합한 후 2배 하여 구합니다.
정육면체는 여섯 면이 모두 합동이 되어 넓이가 같으므로 정육면체의 겉넓이는 한 면의 넓이를 6배 하여 구합니다.

물체 겉면의 넓이를 겉넓이라고 합니다.

직육면체의 겉넓이는 직육면체 여섯 면의 넓이의 합을 뜻합니다.

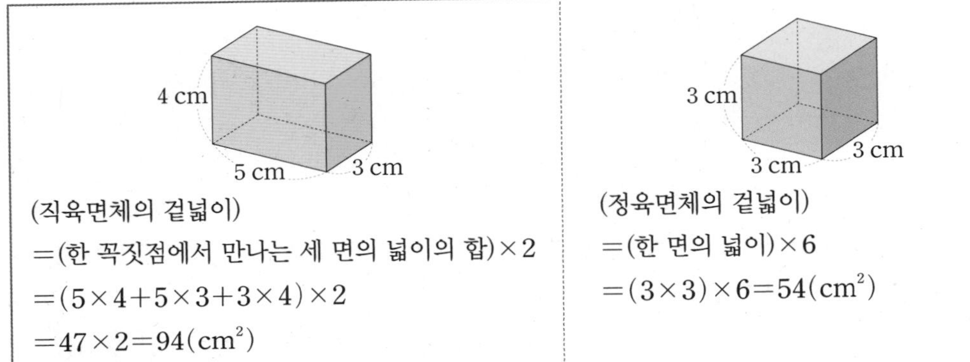

(직육면체의 겉넓이)
=(한 꼭짓점에서 만나는 세 면의 넓이의 합)×2
$=(5\times4+5\times3+3\times4)\times2$
$=47\times2=94(cm^2)$

(정육면체의 겉넓이)
=(한 면의 넓이)×6
$=(3\times3)\times6=54(cm^2)$

또한, 전개도를 이용하여 직육면체의 겉넓이를 다음과 같이 구할 수 있습니다.

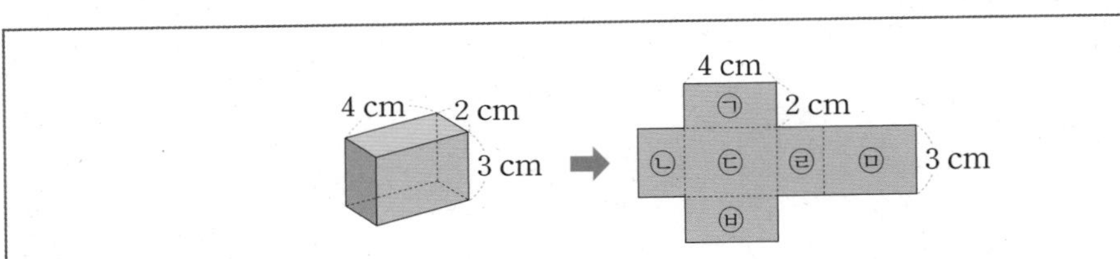

㉠과 ㉥은 합동, ㉡과 ㉣은 합동, ㉢과 ㉤은 합동이므로 직육면체의 겉넓이는
(㉠+㉡+㉢)×2$=(4\times2+2\times3+4\times3)\times2=26\times2=52(cm^2)$입니다.

풍산자 비법

❶ (직육면체의 겉넓이)=(한 꼭짓점에서 만나는 세 면의 넓이의 합)×2
❷ (정육면체의 겉넓이)=(한 면의 넓이)×6

예제 따라 풀어보는 연산

예제 1

직육면체의 겉넓이는
(한 꼭짓점에서 만나는 세 면의 넓이의 합)$\times 2$
$=(6\times 3+3\times 5+5\times 6)\times 2$
$=63\times 2=126(\text{cm}^2)$

예제 2

정육면체의 겉넓이는
(한 면의 넓이)$\times 6$
$=1\times 1\times 6=6(\text{cm}^2)$

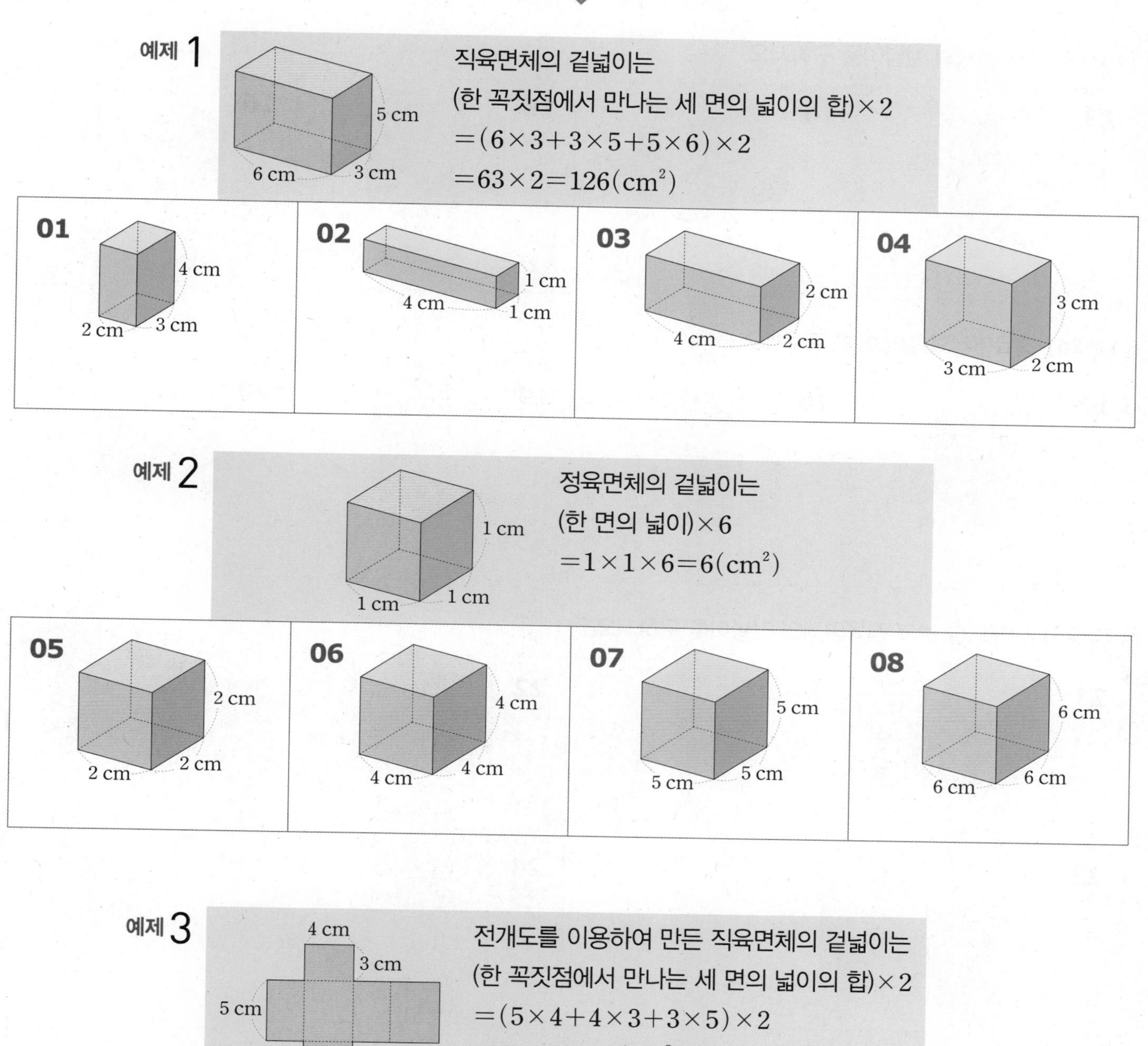

예제 3

전개도를 이용하여 만든 직육면체의 겉넓이는
(한 꼭짓점에서 만나는 세 면의 넓이의 합)$\times 2$
$=(5\times 4+4\times 3+3\times 5)\times 2$
$=47\times 2=94(\text{cm}^2)$

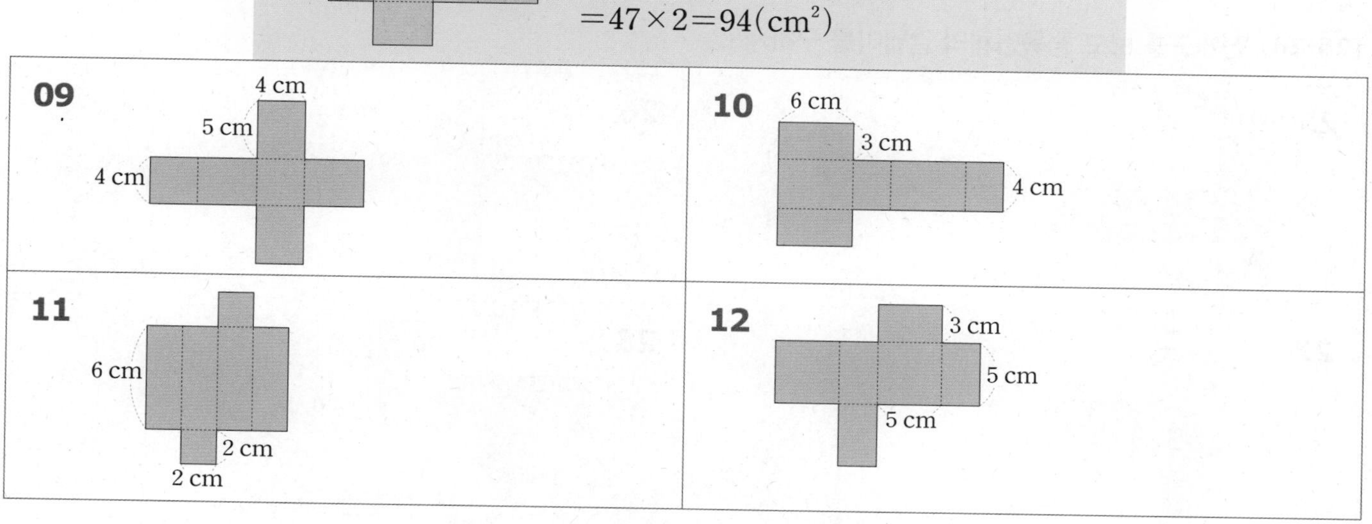

스스로 풀어보는 연산

[13-16] 직육면체의 겉넓이를 구하시오.

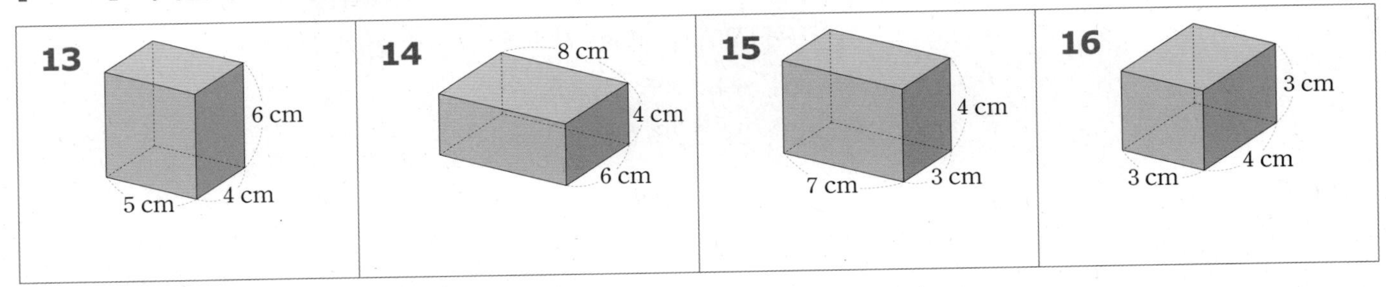

[17-20] 정육면체의 겉넓이를 구하시오.

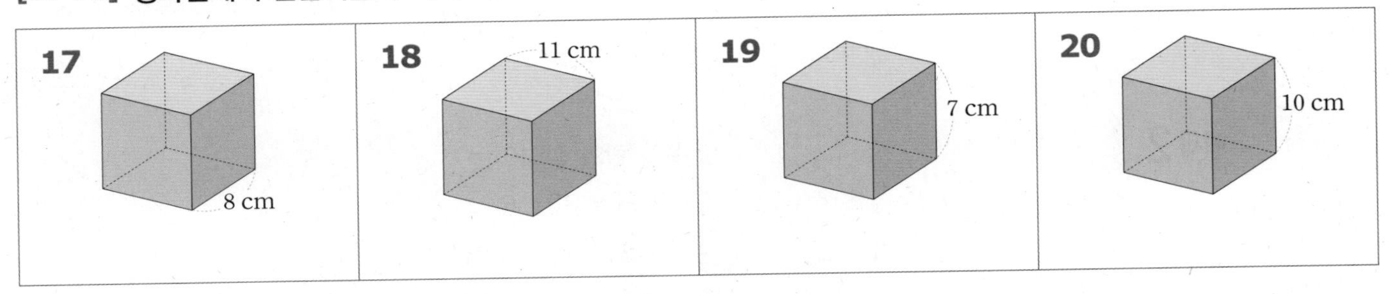

[21-24] 전개도를 보고 직육면체의 겉넓이를 구하시오.

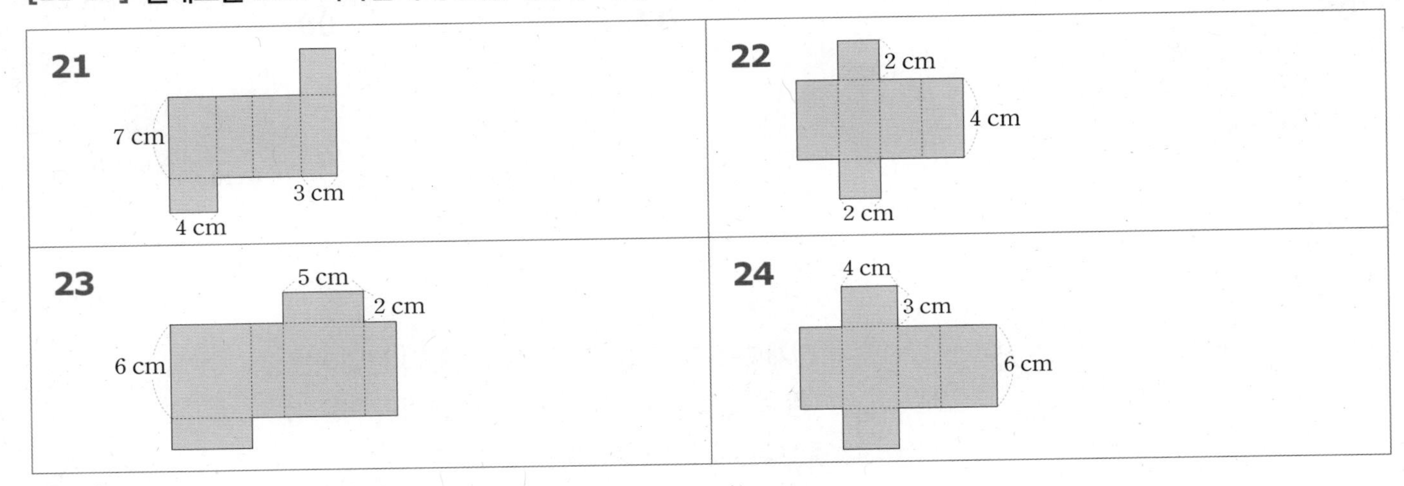

[25-28] 전개도를 보고 정육면체의 겉넓이를 구하시오.

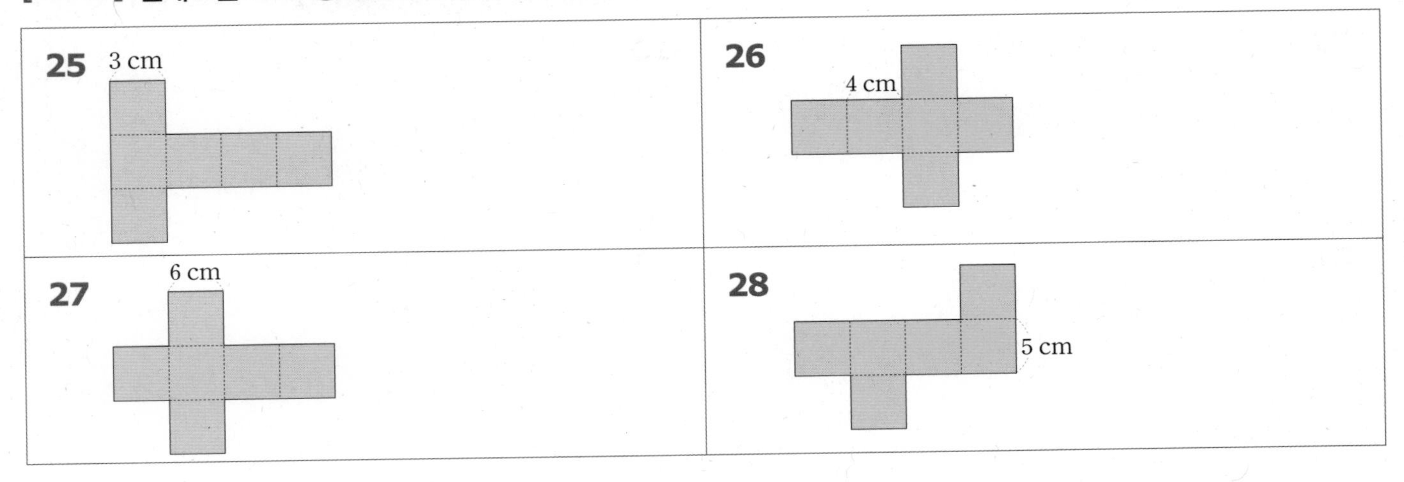

응용 연산

29 직육면체의 겉넓이는 82 cm^2입니다. □ 안에 알맞은 수를 써넣으시오.

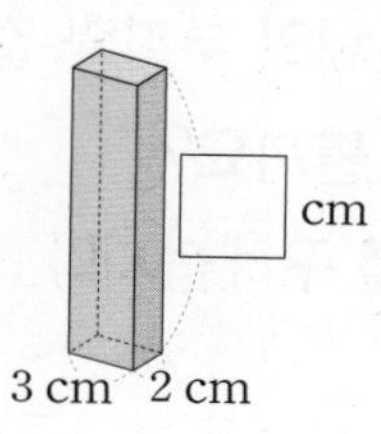

30 직육면체의 겉넓이가 188 cm^2일 때, □ 안에 알맞은 수를 써넣으시오.

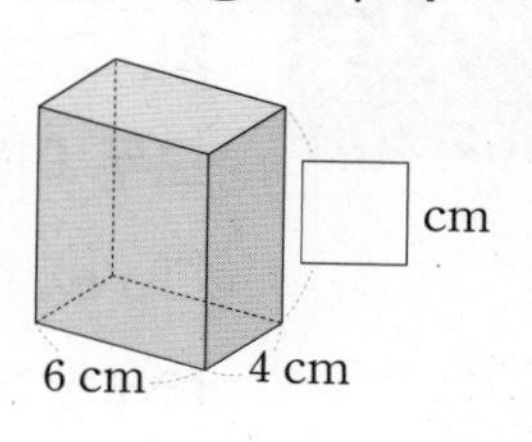

[31-32] 두 직육면체 중 겉넓이가 더 큰 것은 어느 것인지 구하시오.

31

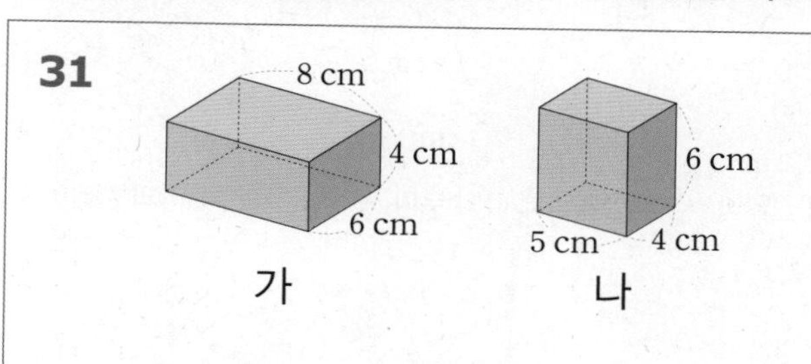

32

6 cm
3 cm
4 cm
가
7 cm
5 cm
3 cm
나

33 한 면의 넓이가 16 cm^2인 정육면체의 겉넓이는 몇 cm^2인지 구하시오.

34 한 면의 넓이가 8 cm^2인 정육면체의 겉넓이는 몇 cm^2인지 구하시오.

[35-36] 정육면체의 전개도입니다. 정육면체의 겉넓이를 구하시오.

35

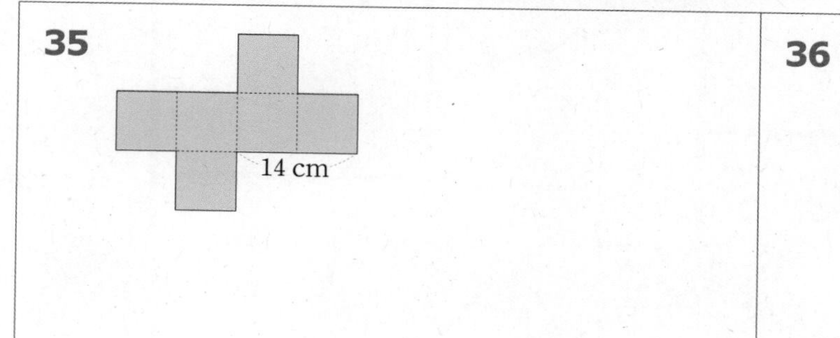

36

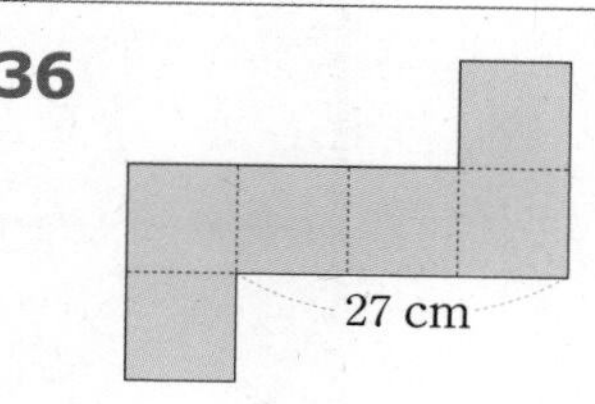

재미있게, 우리 연산하자!

지금까지 우리는 직육면체의 부피와 겉넓이를 배웠습니다.

힘들었을 텐데, 잘 풀었어요!

자, 그럼 마지막으로 지금까지 배운 직육면체의 부피와 겉넓이를 모두 이용해서 아래 사다리타기 게임을 해 볼까요?

㉠, ㉡, ㉢, ㉣에 알맞은 부피 또는 겉넓이를 구해봅시다.

ready~ start!

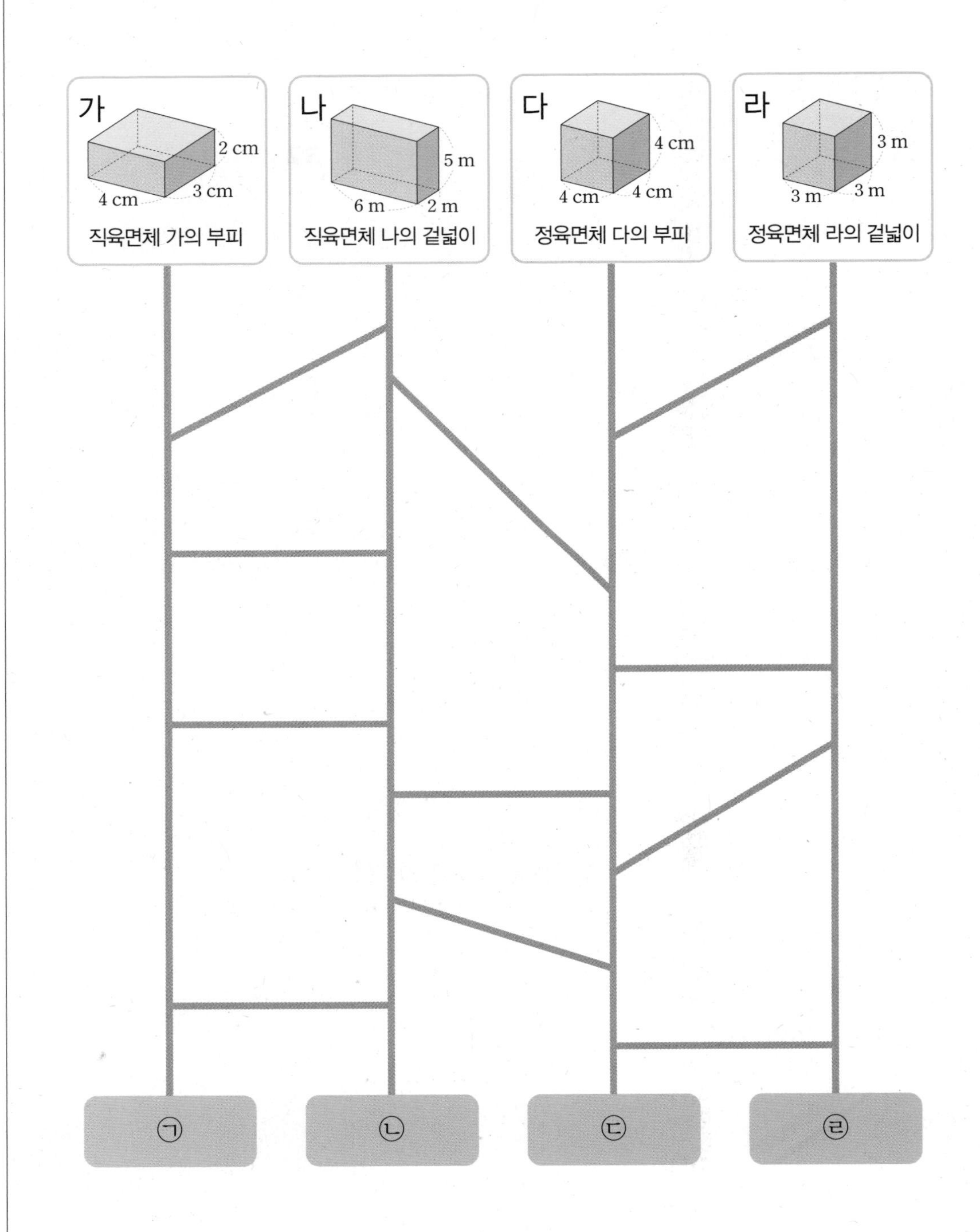

풍산자 라인업

초등 풍산자로 개념을 적용하고 응용하여 연산, 유형, 서술형을 풀면 실력이 탄탄해집니다

처음 배우는 수학을 쉽게 접근하는 초등 풍산자 로드맵

초등 풍산자 교재	하	중하	중	상
연산 집중훈련서 **풍산자 개념X연산**	개념 적용 연산 학습, 기초 실력 완성			
교과 유형학습서 **풍산자 개념X유형**		개념 응용 유형 학습, 기본 실력 완성		
서술형 집중연습서 **풍산자 개념X서술형**		개념 활용 서술형 연습, 문제 해결력 완성		
출시 예정 연산 반복훈련서 **풍산자 연산**	연산만 집중적으로 반복 학습			

풍산자

개념 × 연산

정답과 풀이

초등 수학
6-1

지학사

교과서 속 연산을 빠르게!

풍산자

개념 × 연산

정답과 풀이

초등 수학 6-1

1 ::: 분수의 나눗셈

01 (자연수)÷(자연수)

p. 07~09

> 예제 따라 풀어보는 연산

01 $\frac{1}{4}$　**02** $\frac{1}{5}$　**03** $\frac{1}{6}$　**04** $\frac{1}{7}$

05 $\frac{4}{9}$　**06** $\frac{5}{7}$　**07** $\frac{7}{11}$　**08** $\frac{2}{13}$

09 $\frac{7}{3}\left(=2\frac{1}{3}\right)$　**10** $\frac{7}{4}\left(=1\frac{3}{4}\right)$

11 $\frac{8}{5}\left(=1\frac{3}{5}\right)$　**12** $\frac{14}{13}\left(=1\frac{1}{13}\right)$

> 스스로 풀어보는 연산

13 $\frac{1}{8}$　**14** $\frac{3}{5}$　**15** $\frac{2}{9}$

16 $\frac{18}{11}\left(=1\frac{7}{11}\right)$　**17** $\frac{9}{4}\left(=2\frac{1}{4}\right)$

18 $\frac{3}{10}$　**19** $\frac{1}{12}$　**20** $\frac{11}{6}\left(=1\frac{5}{6}\right)$

21 $\frac{5}{9}$　**22** $\frac{7}{8}$　**23** $\frac{13}{8}\left(=1\frac{5}{8}\right)$

24 $\frac{33}{10}\left(=3\frac{3}{10}\right)$　**25** $\frac{14}{5}\left(=2\frac{4}{5}\right)$

26 $\frac{50}{21}\left(=2\frac{8}{21}\right)$

> 응용 연산

27 풀이 참조　**28** 풀이 참조

29 소정　**30** 하영　**31** $>$　**32** $<$

33 풀이 참조　**34** 풀이 참조

27 답 풀이 참조

$3\div9=\frac{3}{9}=\frac{1}{3}$ • — • $5\div15=\frac{5}{15}=\frac{1}{3}$

$4\div8=\frac{4}{8}=\frac{1}{2}$ • — • $6\div12=\frac{6}{12}=\frac{1}{2}$

$6\div4=\frac{6}{4}=\frac{3}{2}$ • — • $12\div8=\frac{12}{8}=\frac{3}{2}$

28 답 풀이 참조

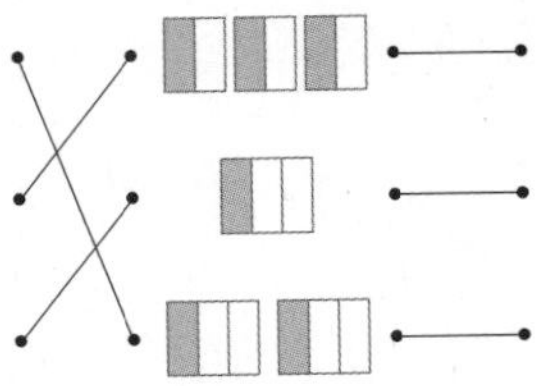

$2\div3=\frac{2}{3}$ • — • (그림) • — • $\frac{2}{3}$

$3\div2=\frac{3}{2}$ • — • (그림) • — • $\frac{6}{4}=\frac{3}{2}$

$1\div3=\frac{1}{3}$ • — • (그림) • — • $\frac{1}{3}$

29 답 소정

민소: $8\div5=\frac{8}{5}$

30 답 하영

선우: $6\div13=\frac{6}{13}$

31 답 $>$

$5\div9=\frac{5}{9}=\frac{25}{45}$

$8\div15=\frac{8}{15}=\frac{24}{45}$

따라서 ○ 안에 알맞은 것은 $>$입니다.

32 답 $<$

$14\div11=\frac{14}{11}=\frac{70}{55}$

$9\div5=\frac{9}{5}=\frac{99}{55}$

따라서 ○ 안에 알맞은 것은 $<$입니다.

33 답 풀이 참조

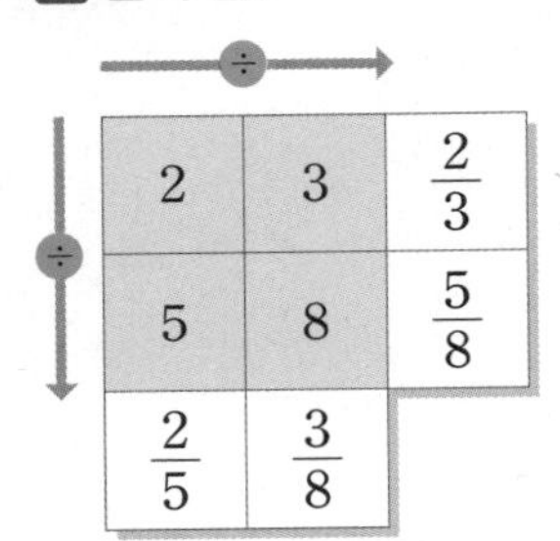

34 답 풀이 참조

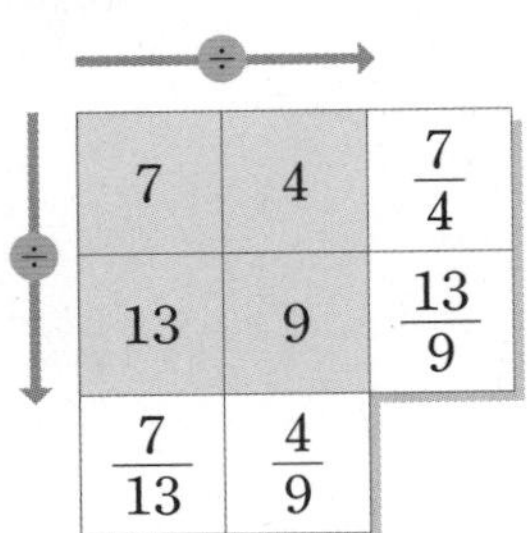

02 (분수)÷(자연수)

p. 11~13

> 예제 따라 풀어보는 연산

01 $\frac{3}{13}$ 02 $\frac{2}{11}$ 03 $\frac{5}{7}$ 04 $\frac{2}{3}$
05 $\frac{7}{40}$ 06 $\frac{6}{35}$ 07 $\frac{11}{36}$ 08 $\frac{25}{63}$
09 $\frac{7}{24}$ 10 $\frac{5}{36}$ 11 $\frac{5}{8}$ 12 $\frac{19}{24}$

> 스스로 풀어보는 연산

13 $\frac{2}{11}$ 14 $\frac{1}{15}$ 15 $\frac{1}{20}$ 16 $\frac{2}{3}$
17 $\frac{3}{5}$ 18 $\frac{2}{9}$ 19 $\frac{3}{35}$ 20 $\frac{7}{36}$
21 $\frac{9}{16}$ 22 $\frac{7}{12}$ 23 $\frac{1}{20}$ 24 $\frac{5}{8}$
25 $\frac{8}{25}$ 26 $\frac{4}{27}$

> 응용 연산

27 $\frac{5}{108}$ 28 $\frac{4}{13}$ 29 ㉣ 30 ㉢
31 ㉢ 32 ㉠ 33 풀이 참조
34 풀이 참조

01 답 $\frac{3}{13}$

$\frac{12}{13}\div4=\frac{12\div4}{13}=\frac{3}{13}$

02 답 $\frac{2}{11}$

$\frac{6}{11}\div3=\frac{6\div3}{11}=\frac{2}{11}$

03 답 $\frac{5}{7}$

$\frac{10}{7}\div2=\frac{10\div2}{7}=\frac{5}{7}$

04 답 $\frac{2}{3}$

$\frac{8}{3}\div4=\frac{8\div4}{3}=\frac{2}{3}$

05 답 $\frac{7}{40}$

$\frac{7}{8}\div5=\frac{35}{40}\div5=\frac{35\div5}{40}=\frac{7}{40}$

06 답 $\frac{6}{35}$

$\frac{6}{7}\div5=\frac{30}{35}\div5=\frac{30\div5}{35}=\frac{6}{35}$

07 답 $\frac{11}{36}$

$\frac{11}{9}\div4=\frac{44}{36}\div4=\frac{44\div4}{36}=\frac{11}{36}$

08 답 $\frac{25}{63}$

$\frac{25}{21}\div3=\frac{75}{63}\div3=\frac{75\div3}{63}=\frac{25}{63}$

09 답 $\frac{7}{24}$

$\frac{7}{8}\div3=\frac{7}{8}\times\frac{1}{3}=\frac{7}{24}$

10 답 $\frac{5}{36}$

$\frac{5}{9}\div4=\frac{5}{9}\times\frac{1}{4}=\frac{5}{36}$

11 답 $\frac{5}{8}$

$\frac{5}{2}\div4=\frac{5}{2}\times\frac{1}{4}=\frac{5}{8}$

12 답 $\frac{19}{24}$

$\frac{19}{4}\div6=\frac{19}{4}\times\frac{1}{6}=\frac{19}{24}$

13 답 $\frac{2}{11}$

$\frac{10}{11}\div5=\frac{10\div5}{11}=\frac{2}{11}$

14 답 $\frac{1}{15}$

$\frac{1}{5}\div3=\frac{1}{5}\times\frac{1}{3}=\frac{1}{15}$

15 답 $\frac{1}{20}$

$\frac{1}{4}\div5=\frac{1}{4}\times\frac{1}{5}=\frac{1}{20}$

16 답 $\frac{2}{3}$

$\frac{4}{3}\div2=\frac{4\div2}{3}=\frac{2}{3}$

17 답 $\frac{3}{5}$

$\frac{6}{5}\div2=\frac{6\div2}{5}=\frac{3}{5}$

18 답 $\frac{2}{9}$

$\frac{8}{9}\div4=\frac{8\div4}{9}=\frac{2}{9}$

19 답 $\frac{3}{35}$

$\frac{3}{7}\div5=\frac{3}{7}\times\frac{1}{5}=\frac{3}{35}$

20 답 $\frac{7}{36}$

$\frac{7}{9}\div4=\frac{7}{9}\times\frac{1}{4}=\frac{7}{36}$

21 답 $\frac{9}{16}$

$\frac{9}{4}\div4=\frac{9}{4}\times\frac{1}{4}=\frac{9}{16}$

22 답 $\frac{7}{12}$

$\frac{7}{6}\div2=\frac{7}{6}\times\frac{1}{2}=\frac{7}{12}$

23 답 $\frac{1}{20}$

$\frac{3}{10}\div6=\frac{3}{10}\times\frac{1}{6}=\frac{3}{60}=\frac{1}{20}$

24 답 $\frac{5}{8}$

$\frac{5}{4}\div2=\frac{5}{4}\times\frac{1}{2}=\frac{5}{8}$

25 답 $\frac{8}{25}$

$\frac{8}{5}\div5=\frac{8}{5}\times\frac{1}{5}=\frac{8}{25}$

26 답 $\frac{4}{27}$

$\frac{8}{9}\div6=\frac{8}{9}\times\frac{1}{6}=\frac{8}{54}=\frac{4}{27}$

27 답 $\frac{5}{108}$

$\frac{5}{12}\div9=\frac{5}{12}\times\frac{1}{9}=\frac{5}{108}$

28 답 $\frac{4}{13}$

$\frac{8}{13}\div2=\frac{8}{13}\times\frac{1}{2}=\frac{8}{26}=\frac{4}{13}$

29 답 ㉣

㉣ $\frac{3}{7}\div2=\frac{3}{7}\times\frac{1}{2}=\frac{3}{14}$

30 답 ㉢

㉢ $\frac{7}{2}\div3=\frac{7}{2}\times\frac{1}{3}=\frac{7}{6}$

31 답 ㉢

㉠ $\frac{3}{8}\div6=\frac{3}{8}\times\frac{1}{6}=\frac{3}{48}=\frac{1}{16}$

㉡ $\frac{1}{4}\div4=\frac{1}{4}\times\frac{1}{4}=\frac{1}{16}$

㉢ $\frac{2}{3}\div4=\frac{2}{3}\times\frac{1}{4}=\frac{2}{12}=\frac{1}{6}$

32 답 ㉠

㉠ $\frac{3}{2}\div8=\frac{3}{2}\times\frac{1}{8}=\frac{3}{16}$

㉡ $\frac{25}{6}\div10=\frac{25}{6}\times\frac{1}{10}=\frac{25}{60}=\frac{5}{12}$

㉢ $\frac{15}{4}\div9=\frac{15}{4}\times\frac{1}{9}=\frac{15}{36}=\frac{5}{12}$

33 답 풀이 참조

$\frac{8}{5}\div4=\frac{8\div4}{5}=\frac{2}{5}$ • —— • $\frac{1}{4}\times\frac{1}{9}=\frac{1}{36}$

$\frac{2}{3}\div2=\frac{2\div2}{3}=\frac{1}{3}$ • —— • $\frac{2}{3}\times\frac{1}{2}=\frac{1}{3}$

$\frac{1}{4}\div9=\frac{1}{4}\times\frac{1}{9}=\frac{1}{36}$ • —— • $\frac{8}{5}\times\frac{1}{4}=\frac{2}{5}$

34 답 풀이 참조

$\frac{12}{5}\div3=\frac{12\div3}{5}=\frac{4}{5}$ • —— • $\frac{4}{9}$

$\frac{20}{7}\div5=\frac{20\div5}{7}=\frac{4}{7}$ • —— • $\frac{4}{7}$

$\frac{28}{9}\div7=\frac{28\div7}{9}=\frac{4}{9}$ • —— • $\frac{4}{5}$

03 (대분수)÷(자연수)

p. 15~17

> 예제 따라 풀어보는 연산

01 $\frac{4}{5}$ 02 $\frac{3}{8}$ 03 $\frac{3}{7}$ 04 $\frac{1}{2}$

05 $\frac{7}{15}$ 06 $\frac{7}{8}$ 07 $\frac{16}{35}$

08 $1\frac{13}{33}$ 09 $\frac{5}{7}$ 10 $\frac{5}{6}$

11 $1\frac{3}{8}$ 12 $2\frac{1}{3}$

> 스스로 풀어보는 연산

13 $\frac{8}{35}$ 14 $\frac{3}{10}$ 15 $\frac{5}{12}$

16 $\frac{13}{108}$ 17 $1\frac{1}{6}$ 18 $\frac{4}{25}$

19 $\frac{11}{60}$ 20 $\frac{11}{12}$ 21 $\frac{9}{16}$ 22 $\frac{7}{12}$

23 $1\frac{11}{12}$ 24 $\frac{1}{4}$ 25 $\frac{13}{20}$ 26 $\frac{2}{5}$

> 응용 연산

27 (1) $1\frac{1}{3}$ (2) $\frac{3}{35}$ 28 (1) $2\frac{1}{3}$ (2) $\frac{1}{10}$

29 $11\frac{2}{5}$ 30 (위에서부터) $\frac{9}{10}$, $1\frac{2}{3}$

31 $18\frac{1}{3}$ cm² 32 $5\frac{7}{9}$ cm

33 $\frac{3}{7}$ kg 34 $14\frac{6}{7}$ km

01 답 $\frac{4}{5}$

$1\frac{3}{5}\div2=\frac{8}{5}\div2=\frac{8\div2}{5}=\frac{4}{5}$

02 답 $\frac{3}{8}$

$1\frac{1}{8}\div3=\frac{9}{8}\div3=\frac{9\div3}{8}=\frac{3}{8}$

03 답 $\frac{3}{7}$

$2\frac{4}{7}\div6=\frac{18}{7}\div6=\frac{18\div6}{7}=\frac{3}{7}$

04 답 $\frac{1}{2}$

$2\frac{1}{2}\div5=\frac{5}{2}\div5=\frac{5\div5}{2}=\frac{1}{2}$

05 답 $\frac{7}{15}$

$2\frac{1}{3}\div5=\frac{7}{3}\div5=\frac{35}{15}\div5=\frac{35\div5}{15}=\frac{7}{15}$

06 답 $\frac{7}{8}$

$1\frac{3}{4}\div2=\frac{7}{4}\div2=\frac{14}{8}\div2=\frac{14\div2}{8}=\frac{7}{8}$

07 답 $\frac{16}{35}$

$3\frac{1}{5}\div7=\frac{16}{5}\div7=\frac{112}{35}\div7=\frac{112\div7}{35}=\frac{16}{35}$

08 답 $1\frac{13}{33}$

$4\frac{2}{11}\div3=\frac{46}{11}\div3=\frac{138}{33}\div3=\frac{138\div3}{33}$

$=\frac{46}{33}=1\frac{13}{33}$

09 답 $\frac{5}{7}$

$6\frac{3}{7}\div9=\frac{45}{7}\div9=\frac{45}{7}\times\frac{1}{9}=\frac{45}{63}=\frac{5}{7}$

10 답 $\frac{5}{6}$

$5\frac{5}{6}\div7=\frac{35}{6}\div7=\frac{35}{6}\times\frac{1}{7}=\frac{35}{42}=\frac{5}{6}$

11 답 $1\frac{3}{8}$

$8\frac{1}{4}\div6=\frac{33}{4}\div6=\frac{33}{4}\times\frac{1}{6}=\frac{33}{24}=\frac{11}{8}=1\frac{3}{8}$

12 답 $2\frac{1}{3}$

$4\frac{2}{3}\div2=\frac{14}{3}\div2=\frac{14}{3}\times\frac{1}{2}=\frac{14}{6}=\frac{7}{3}=2\frac{1}{3}$

13 답 $\frac{8}{35}$

$1\frac{1}{7}\div5=\frac{8}{7}\times\frac{1}{5}=\frac{8}{35}$

14 답 $\frac{3}{10}$

$1\frac{4}{5}\div6=\frac{9}{5}\times\frac{1}{6}=\frac{9}{30}=\frac{3}{10}$

15 답 $\frac{5}{12}$

$1\frac{2}{3}\div4=\frac{5}{3}\times\frac{1}{4}=\frac{5}{12}$

16 답 $\frac{13}{108}$

$1\frac{1}{12}\div9=\frac{13}{12}\times\frac{1}{9}=\frac{13}{108}$

17 답 $1\frac{1}{6}$

$3\frac{1}{2}\div3=\frac{7}{2}\times\frac{1}{3}=\frac{7}{6}=1\frac{1}{6}$

18 답 $\frac{4}{25}$

$1\frac{3}{5}\div10=\frac{8}{5}\times\frac{1}{10}=\frac{8}{50}=\frac{4}{25}$

19 답 $\frac{11}{60}$

$1\frac{1}{10}\div6=\frac{11}{10}\times\frac{1}{6}=\frac{11}{60}$

20 답 $\frac{11}{12}$

$1\frac{5}{6}\div2=\frac{11}{6}\times\frac{1}{2}=\frac{11}{12}$

21 답 $\frac{9}{16}$

$1\frac{1}{8}\div2=\frac{9}{8}\times\frac{1}{2}=\frac{9}{16}$

22 답 $\frac{7}{12}$

$2\frac{1}{3}\div4=\frac{7}{3}\times\frac{1}{4}=\frac{7}{12}$

23 답 $1\frac{11}{12}$

$5\frac{3}{4}\div3=\frac{23}{4}\times\frac{1}{3}=\frac{23}{12}=1\frac{11}{12}$

24 답 $\frac{1}{4}$

$2\frac{1}{2}\div10=\frac{5}{2}\times\frac{1}{10}=\frac{5}{20}=\frac{1}{4}$

25 답 $\frac{13}{20}$

$3\frac{1}{4}\div5=\frac{13}{4}\times\frac{1}{5}=\frac{13}{20}$

26 답 $\frac{2}{5}$

$4\frac{2}{5}\div11=\frac{22}{5}\times\frac{1}{11}=\frac{22}{55}=\frac{2}{5}$

27 답 (1) $1\frac{1}{3}$ (2) $\frac{3}{35}$

(1) $2\frac{2}{9}\div5\times3=\frac{20}{9}\times\frac{1}{5}\times3=\frac{4}{3}=1\frac{1}{3}$

(2) $3\frac{3}{5}\div6\div7=\frac{18}{5}\times\frac{1}{6}\times\frac{1}{7}=\frac{3}{35}$

28 답 (1) $2\frac{1}{3}$ (2) $\frac{1}{10}$

(1) $8\frac{1}{6}\div7\times2=\frac{49}{6}\times\frac{1}{7}\times2=\frac{7}{3}=2\frac{1}{3}$

(2) $3\frac{3}{5}\div9\div4=\frac{18}{5}\times\frac{1}{9}\times\frac{1}{4}=\frac{1}{10}$

29 답 $11\frac{2}{5}$

$7\frac{3}{5}\times3\div2=\frac{38}{5}\times3\times\frac{1}{2}=\frac{57}{5}=11\frac{2}{5}$

30 답 (위에서부터) $\frac{9}{10}$, $1\frac{2}{3}$

$3\frac{3}{5}\div4=\frac{18}{5}\times\frac{1}{4}=\frac{9}{10}$

$6\frac{2}{3}\div4=\frac{20}{3}\times\frac{1}{4}=\frac{5}{3}=1\frac{2}{3}$

31 답 $18\frac{1}{3}$ cm^2

$7\frac{1}{3}\times5\div2=\frac{22}{3}\times5\times\frac{1}{2}=\frac{55}{3}=18\frac{1}{3}(\text{cm}^2)$

32 답 $5\frac{7}{9}$ cm

$34\frac{2}{3}\div6=\frac{104}{3}\times\frac{1}{6}=\frac{52}{9}=5\frac{7}{9}(\text{cm})$

33 답 $\frac{3}{7}$ kg

$2\frac{4}{7}\div6=\frac{18}{7}\times\frac{1}{6}=\frac{3}{7}(\text{kg})$

34 답 $14\frac{6}{7}$ km

$11\frac{1}{7}\div3\times4=\frac{78}{7}\times\frac{1}{3}\times4=\frac{104}{7}=14\frac{6}{7}(\text{km})$

p. 18

재미있게, 우리 연산하자!

사다리타기 결과는 다음과 같습니다.

$1\frac{2}{9}\div11\times18$	⇨ ㉠
$2\frac{5}{8}\div7\times16$	⇨ ㉡
$3\frac{1}{2}\div7\div2$	⇨ ㉣
$5\div7\div10$	⇨ ㉢

㉠ $1\frac{2}{9}\div11\times18=\frac{11}{9}\times\frac{1}{11}\times18=2$

㉡ $2\frac{5}{8}\div7\times16=\frac{21}{8}\times\frac{1}{7}\times16=6$

㉢ $5\div7\div10=5\times\frac{1}{7}\times\frac{1}{10}=\frac{1}{14}$

㉣ $3\frac{1}{2}\div7\div2=\frac{7}{2}\times\frac{1}{7}\times\frac{1}{2}=\frac{1}{4}$

답 ㉠ 2 ㉡ 6 ㉢ $\frac{1}{14}$ ㉣ $\frac{1}{4}$

2 ::: 각기둥과 각뿔

04 각기둥

p. 21~23

> 예제 따라 풀어보는 연산

01 ○ **02** × **03** × **04** ○
05 풀이 참조 **06** 풀이 참조
07 풀이 참조 **08** 풀이 참조
09 삼각기둥 **10** 오각기둥
11 육각기둥 **12** 칠각기둥

> 스스로 풀어보는 연산

13 ㉡, ㉢, ㉣, ㉥ **14** ㉠, ㉡, ㉢, ㉣, ㉥
15 ㉡, ㉣ **16** ㉡, ㉣ **17** 2 cm
18 6 cm **19** 6 cm **20** 4 cm **21** 3개
22 4개 **23** 5개 **24** 6개

> 응용 연산

25 (왼쪽에서부터) 4, 6, 12, 8
26 (왼쪽에서부터) 6, 8, 18, 12
27 7개 **28** 6개 **29** 40 **30** 45
31 오각기둥 **32** 칠각기둥

05 답

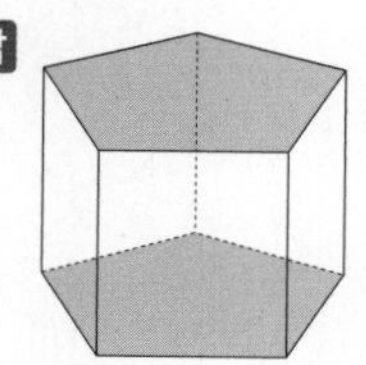

06 답

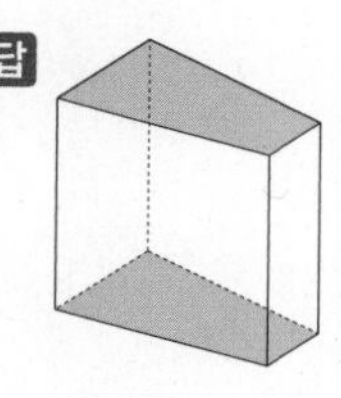

07 답

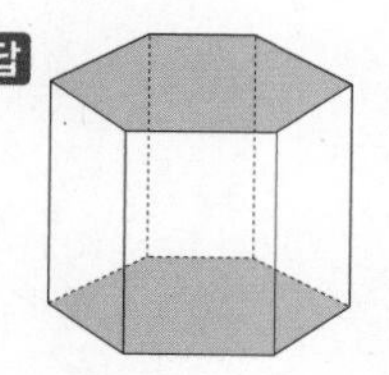

08 답

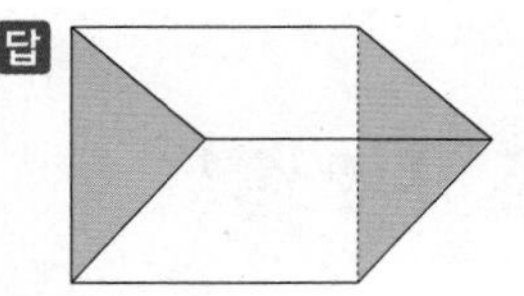

29 답 40

밑면의 모양이 팔각형이므로 팔각기둥입니다.
모서리의 수는 $8\times3=24$, 꼭짓점의 수는 $8\times2=16$ 이므로 모서리의 수와 꼭짓점의 수의 합은 $24+16=40$입니다.

30 답 45

밑면의 모양이 구각형이므로 구각기둥이다.
모서리의 수는 $9\times3=27$, 꼭짓점의 수는 $9\times2=18$ 이므로 모서리의 수와 꼭짓점의 수의 합은 $27+18=45$입니다.

31 답 **오각기둥**

⬠각기둥의 꼭짓점의 수는 ⬠$\times2$이므로
⬠$\times2=10$, ⬠$=5$
따라서 꼭짓점이 10개인 각기둥은 오각기둥입니다.

32 답 **칠각기둥**

⬠$\times2=14$에서 ⬠$=7$이므로 꼭짓점이 14개인 각기둥은 칠각기둥입니다.

05 각기둥의 전개도

p. 25~27

> 예제 따라 풀어보는 연산

01 사각기둥 **02** 오각기둥
03 오각기둥 **04** 육각기둥
05 풀이 참조 **06** 풀이 참조
07 풀이 참조 **08** 풀이 참조
09 (위에서부터) 3, 2
10 (왼쪽에서부터) 4, 2, 2
11 (위에서부터) 3, 2
12 (왼쪽에서부터) 8, 6, 4

> 스스로 풀어보는 연산

13 (위에서부터) 3, 2, 4
14 (왼쪽에서부터) 6, 3, 2
15 (왼쪽에서부터) 6, 9
16 (왼쪽에서부터) 5, 4, 7 **17** 삼각기둥
18 선분 ㅅㅂ **19** 선분 ㅇㅅ, 선분 ㅁㄹ, 선분 ㅁㅂ
20 면 ㄱㄴㄷㅊ, 면 ㄷㅁㅇㅊ, 면 ㅁㅂㅅㅇ
21 삼각기둥 **22** 면 ㄹㅁㅂ, 면 ㄷㅅㅊ
23 선분 ㅁㄹ
24 면 ㄹㅂㅅㄷ, 면 ㄴㄷㅊㄱ, 면 ㅅㅇㅈㅊ

> 응용 연산

25 면 ⓜ **26** 면 ⓓ **27** 점 ㅋ, 점 ㅈ
28 점 ㄷ, 점 ㅈ
29 (왼쪽에서부터) 6, 5, 9, 6
30 (위에서부터) 11, 10 **31** 2 cm
32 4 cm

05 답

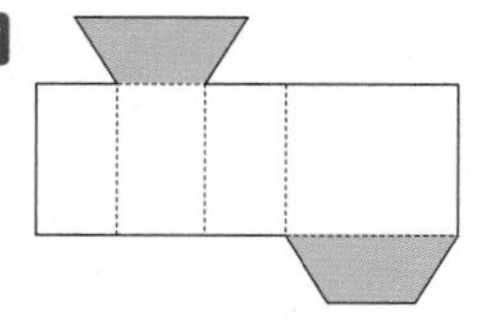

06 답

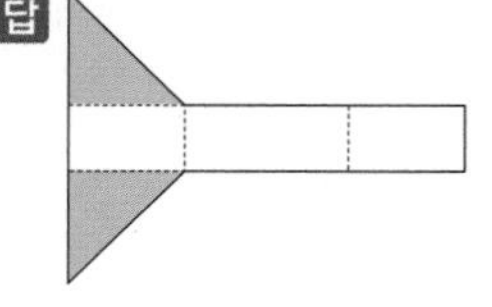

07 답

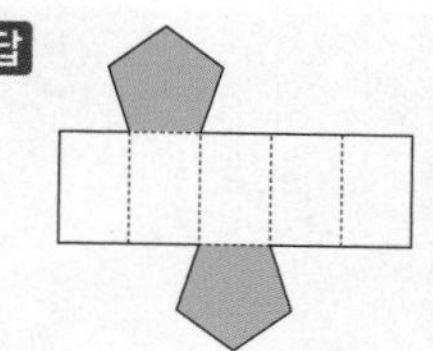

08 답

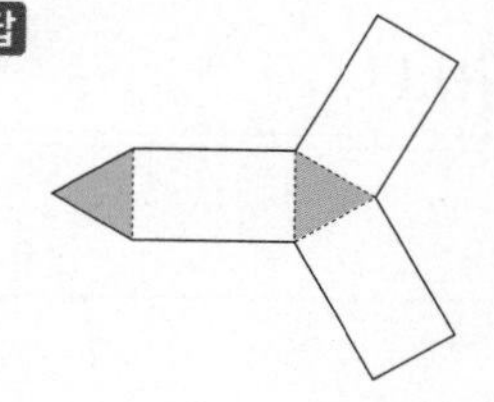

31 답 2 cm

전개도로 만들어지는 각기둥은 육각기둥입니다.
옆면에서 높이에 해당하는 모서리가 6개이므로
두 밑면의 모서리의 길이의 합은
$48-4\times6=24$(cm)입니다.
밑면이 2개이므로 한 밑면의 모서리의 길이의 합은
$24\div2=12$(cm)입니다.
따라서 각기둥의 밑면의 한 변의 길이는
$12\div6=2$(cm)입니다.

32 답 4 cm

전개도로 만들어지는 각기둥은 오각기둥입니다.
옆면에서 높이에 해당하는 모서리가 5개이므로
두 밑면의 모서리의 길이의 합은
$70-6\times5=40$(cm)입니다.
밑면이 2개이므로 한 밑면의 모서리의 길이의 합은
$40\div2=20$(cm)입니다.
따라서 각기둥의 밑면의 한 변의 길이는
$20\div5=4$(cm)입니다.

06 각뿔

p. 29~31

> 예제 따라 풀어보는 연산

01 × 02 삼각뿔 03 육각뿔 04 ×
05 풀이 참조 06 풀이 참조
07 풀이 참조 08 풀이 참조
09 (위에서부터) 4, 6, 4
10 (위에서부터) 6, 10, 6
11 (위에서부터) 7, 12, 7
12 (위에서부터) 9, 16, 9

> 스스로 풀어보는 연산

13 ㉡, ㉤, ㉥ 14 ㉠, ㉢, ㉣ 15 각뿔
16 삼각형 17 칠각형, 칠각뿔
18 오각형, 오각뿔 19 삼각형, 삼각뿔
20 사각형, 사각뿔 21 8 cm
22 6 cm 23 12 cm 24 24 cm
25 1개, 4개 26 1개, 3개 27 1개, 8개
28 1개, 5개

> 응용 연산

29 ㉠, ㉡ 30 ㉠, ㉢, ㉣ 31 풀이 참조
32 풀이 참조 33 구각뿔 34 십일각뿔
35 20 36 25

05 답

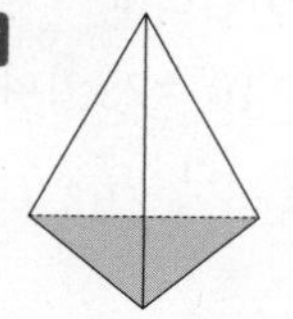

06 답

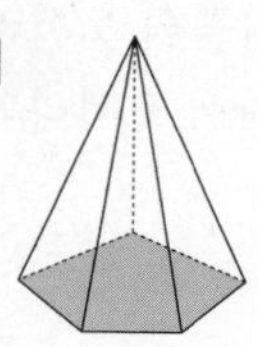

07 답

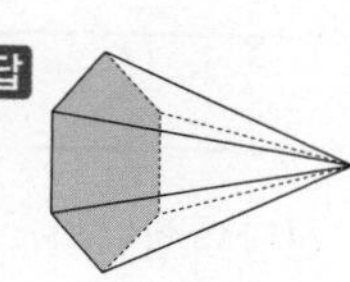

08 답

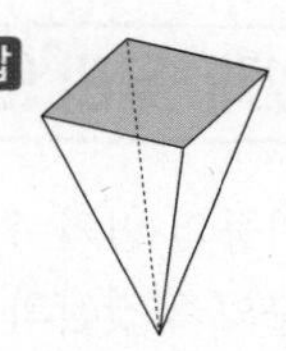

29 답 ㉠, ㉡

㉢ 옆면의 모양은 모두 삼각형입니다.
㉣ 꼭짓점은 모두 5개입니다.

30 답 ㉠, ㉢, ㉣

㉡ 모서리는 10개입니다.

31 답

입체도형	밑면의 변의 수(개)	면의 수(개)	모서리의 수(개)	꼭짓점의 수(개)
사각뿔	4	5	8	5
오각뿔	5	6	10	6

32 답

입체도형	밑면의 변의 수(개)	면의 수(개)	모서리의 수(개)	꼭짓점의 수(개)
육각뿔	6	7	12	7
팔각뿔	8	9	16	9

33 답 **구각뿔**

⬠각뿔의 모서리의 개수는 ⬠×2이므로
⬠×2=18, ⬠=9
따라서 구각뿔입니다.

34 답 **십일각뿔**

⬠각뿔의 꼭짓점의 개수는 ⬠+1이므로
⬠+1=12, ⬠=11
따라서 십일각뿔입니다.

35 답 20

사각기둥의 모서리는 $4\times3=12$(개)이고,
사각뿔의 모서리는 $4\times2=8$(개)입니다.
따라서 모서리의 수의 합은 $12+8=20$입니다.

36 답 25

오각기둥의 모서리는 $5\times3=15$(개)이고,
오각뿔의 모서리는 $5\times2=10$(개)입니다.
따라서 모서리의 수의 합은 $15+10=25$입니다.

p. 32

재미있게, 우리 연산하자!

① 삼각기둥의 면의 수는 5개이므로 신당역입니다.
② 육각뿔의 꼭짓점의 수는 7개이므로 구의역입니다.
③ 오각기둥의 모서리의 수는 15개이므로 서울대입구역입니다.
④ 팔각기둥의 한 밑면의 변의 수는 8개이므로 영등포구청역입니다.
⑤ 십각기둥의 옆면의 수는 10개이므로 을지로3가역입니다.

답 **① 신당역　② 구의역　③ 서울대입구역　④ 영등포구청역　⑤ 을지로3가역**

3 ::: 소수의 나눗셈

07 (소수)÷(자연수) (1)

p. 35~37

> 예제 따라 풀어보는 연산

01 풀이 참조　**02** 풀이 참조
03 1.2　**04** 31.2　**05** 2.11
06 14.21

> 스스로 풀어보는 연산

07 1.4　**08** 1.3　**09** 1.2　**10** 1.1
11 12.4　**12** 43.2　**13** 10.1
14 21.3　**15** 4.41　**16** 1.13
17 1.22　**18** 2.12　**19** 1.01
20 4.21

> 응용 연산

21 (위에서부터) 2.1, 4.1, 2.11
22 (왼쪽에서부터) 1.1, 7.1, 3.01
23 풀이 참조　**24** 풀이 참조
25 >　**26** <　**27** 14.1
28 2.03

01 답

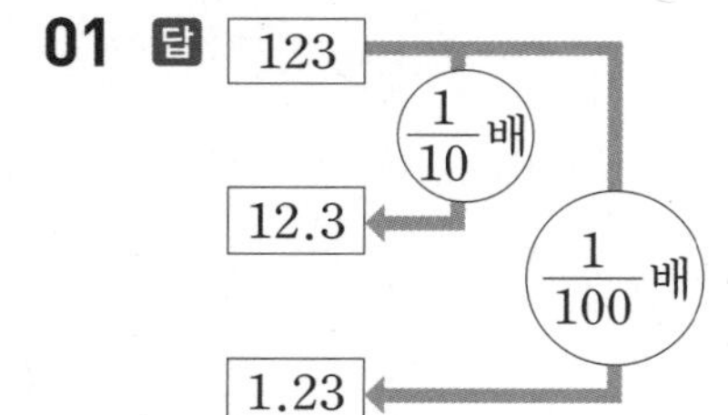

02 답

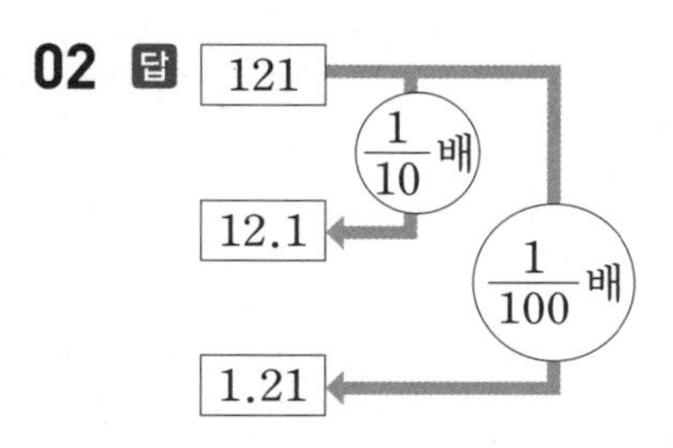

07 답 1.4

$28\div2=14$ ⇨ $2.8\div2=1.4$

08 답 1.3
$39 \div 3 = 13$ ⇨ $3.9 \div 3 = 1.3$

09 답 1.2
$24 \div 2 = 12$ ⇨ $2.4 \div 2 = 1.2$

10 답 1.1
$66 \div 6 = 11$ ⇨ $6.6 \div 6 = 1.1$

11 답 12.4
$248 \div 2 = 124$ ⇨ $24.8 \div 2 = 12.4$

12 답 43.2
$864 \div 2 = 432$ ⇨ $86.4 \div 2 = 43.2$

13 답 10.1
$707 \div 7 = 101$ ⇨ $70.7 \div 7 = 10.1$

14 답 21.3
$639 \div 3 = 213$ ⇨ $63.9 \div 3 = 21.3$

15 답 4.41
$882 \div 2 = 441$ ⇨ $8.82 \div 2 = 4.41$

16 답 1.13
$226 \div 2 = 113$ ⇨ $2.26 \div 2 = 1.13$

17 답 1.22
$488 \div 4 = 122$ ⇨ $4.88 \div 4 = 1.22$

18 답 2.12
$636 \div 3 = 212$ ⇨ $6.36 \div 3 = 2.12$

19 답 1.01
$909 \div 9 = 101$ ⇨ $9.09 \div 9 = 1.01$

20 답 4.21
$842 \div 2 = 421$ ⇨ $8.42 \div 2 = 4.21$

21 답 (위에서부터) 2.1, 4.1, 2.11
$105 \div 5 = 21$ ⇨ $10.5 \div 5 = 2.1$
$328 \div 8 = 41$ ⇨ $32.8 \div 8 = 4.1$
$1899 \div 9 = 211$ ⇨ $18.99 \div 9 = 2.11$

22 답 (왼쪽에서부터) 1.1, 7.1, 3.01
$66 \div 6 = 11$ ⇨ $6.6 \div 6 = 1.1$
$568 \div 8 = 71$ ⇨ $56.8 \div 8 = 7.1$
$2107 \div 7 = 301$ ⇨ $21.07 \div 7 = 3.01$

23 답

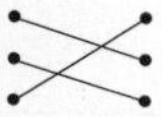

$164 \div 4 = 41$ ⇨ $16.4 \div 4 = 4.1$
$6393 \div 3 = 2131$ ⇨ $63.93 \div 3 = 21.31$
$217 \div 7 = 31$ ⇨ $21.7 \div 7 = 3.1$

24 답

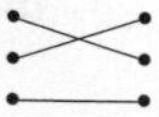

$96 \div 3 = 32$ ⇨ $9.6 \div 3 = 3.2$
$48 \div 4 = 12$ ⇨ $4.8 \div 4 = 1.2$
$142 \div 2 = 71$ ⇨ $14.2 \div 2 = 7.1$

25 답 >
$208 \div 4 = 52$ ⇨ $20.8 \div 4 = 5.2$
$408 \div 8 = 51$ ⇨ $40.8 \div 8 = 5.1$
따라서 ○ 안에 알맞은 것은 > 입니다.

26 답 <
$4277 \div 7 = 611$ ⇨ $42.77 \div 7 = 6.11$
$1893 \div 3 = 631$ ⇨ $18.93 \div 3 = 6.31$
따라서 ○ 안에 알맞은 것은 < 입니다.

27 답 14.1
$282 \div 2 = 141$ ⇨ $28.2 \div 2 = 14.1$

28 답 2.03
$609 \div 3 = 203$ ⇨ $6.09 \div 3 = 2.03$

08 (소수)÷(자연수) (2)

p. 39~41

> 예제 따라 풀어보는 연산

01 4.3 **02** 3.17 **03** 9.52 **04** 7.5
05 6.72 **06** 1.25 **07** 1.28
08 1.66

> 스스로 풀어보는 연산

09 1.5 **10** 14.1
11 9.31 **12** 30.78 **13** 4.7
14 12.9 **15** 5.7 **16** 2.4
17 5.28 **18** 3.27 **19** 19.74
20 9.65 **21** 9.27 **22** 26.86

> 응용 연산

23 3.4 **24** 1.23
25 (위에서부터) 2.3, 4.2, 2.22
26 (왼쪽에서부터) 1.3, 7.4, 3.13
27 7.31 **28** 8.2 **29** < **30** >

01 답 4.3

$$30.1\div7=\frac{301}{10}\div7=\frac{301\div7}{10}=\frac{43}{10}=4.3$$

02 답 3.17

$$15.85\div5=\frac{1585}{100}\div5=\frac{1585\div5}{100}=\frac{317}{100}=3.17$$

03 답 9.52

$$28.56\div3=\frac{2856}{100}\div3=\frac{2856\div3}{100}=\frac{952}{100}=9.52$$

04 답 7.5

$$37.5\div5=\frac{375}{10}\div5=\frac{375\div5}{10}=\frac{75}{10}=7.5$$

05 답 6.72

$$\begin{array}{r} 6.72 \\ 8\overline{)53.76} \\ 48 \\ \hline 57 \\ 56 \\ \hline 16 \\ 16 \\ \hline 0 \end{array}$$

06 답 1.25

$$\begin{array}{r} 1.25 \\ 7\overline{)8.75} \\ 7 \\ \hline 17 \\ 14 \\ \hline 35 \\ 35 \\ \hline 0 \end{array}$$

07 답 1.28

$$\begin{array}{r} 1.28 \\ 4\overline{)5.12} \\ 4 \\ \hline 11 \\ 8 \\ \hline 32 \\ 32 \\ \hline 0 \end{array}$$

08 답 1.66

$$\begin{array}{r} 1.66 \\ 2\overline{)3.32} \\ 2 \\ \hline 13 \\ 12 \\ \hline 12 \\ 12 \\ \hline 0 \end{array}$$

09 답 1.5

$$7.5\div5=\frac{75}{10}\div5=\frac{75\div5}{10}$$
$$=\frac{15}{10}=1.5$$

10 답 14.1

$$56.4\div4=\frac{564}{10}\div4=\frac{564\div4}{10}$$
$$=\frac{141}{10}=14.1$$

11 답 9.31

$$74.48\div8=\frac{7448}{100}\div8=\frac{7448\div8}{100}$$
$$=\frac{931}{100}=9.31$$

12 답 30.78

$$61.56\div2=\frac{6156}{100}\div2=\frac{6156\div2}{100}$$
$$=\frac{3078}{100}=30.78$$

13 답 4.7

$$\begin{array}{r} 4.7 \\ 4\overline{)18.8} \\ 16 \\ \hline 28 \\ 28 \\ \hline 0 \end{array}$$

14 답 12.9

$$\begin{array}{r} 12.9 \\ 2\overline{)25.8} \\ 2 \\ \hline 5 \\ 4 \\ \hline 18 \\ 18 \\ \hline 0 \end{array}$$

15 답 5.7

$$\begin{array}{r} 5.7 \\ 7\overline{)39.9} \\ 35 \\ \hline 49 \\ 49 \\ \hline 0 \end{array}$$

16 답 2.4

$$\begin{array}{r} 2.4 \\ 8\overline{)19.2} \\ 16 \\ \hline 32 \\ 32 \\ \hline 0 \end{array}$$

17 답 5.28

```
     5.2 8
  8)4 2.2 4
    4 0
      2 2
      1 6
        6 4
        6 4
          0
```

18 답 3.27

```
     3.2 7
  5)1 6.3 5
    1 5
      1 3
      1 0
        3 5
        3 5
          0
```

19 답 19.74

```
    1 9.7 4
  2)3 9.4 8
    2
    1 9
    1 8
      1 4
      1 4
          8
          8
          0
```

20 답 9.65

```
      9.6 5
  3)2 8.9 5
    2 7
      1 9
      1 8
        1 5
        1 5
          0
```

21 답 9.27

```
     9.2 7
  9)8 3.4 3
    8 1
      2 4
      1 8
        6 3
        6 3
          0
```

22 답 26.86

```
    2 6.8 6
  3)8 0.5 8
    6
    2 0
    1 8
      2 5
      2 4
        1 8
        1 8
          0
```

23 답 3.4

$27.2 \div 8 = \frac{272}{10} \div 8 = \frac{272 \div 8}{10} = \frac{34}{10} = 3.4$

24 답 1.23

$8.61 \div 7 = \frac{861}{100} \div 7 = \frac{861 \div 7}{100} = \frac{123}{100} = 1.23$

25 답 (위에서부터) 2.3, 4.2, 2.22

```
     2.3           4.2             2.2 2
  5)1 1.5       8)3 3.6        9)1 9.9 8
    1 0           3 2            1 8
      1 5           1 6            1 9
      1 5           1 6            1 8
        0             0              1 8
                                     1 8
                                       0
```

26 답 (왼쪽에서부터) 1.3, 7.4, 3.13

```
    1.3          7.4            3.1 3
  6)7.8       8)5 9.2       7)2 1.9 1
    6           5 6           2 1
    1 8           3 2             9
    1 8           3 2             7
      0             0             2 1
                                  2 1
                                    0
```

27 답 7.31

소수점의 위치가 잘못 되었습니다.

```
     7.3 1
  5)3 6.5 5
    3 5
      1 5
      1 5
          5
          5
          0
```

28 답 8.2

소수점을 찍지 않았습니다.

```
     8.2
  7)5 7.4
    5 6
      1 4
      1 4
        0
```

29 답 $<$

$21.2 \div 4 = \frac{212}{10} \div 4 = \frac{212 \div 4}{10}$

$= \frac{53}{10} = 5.3$

$46.4 \div 8 = \frac{464}{10} \div 8 = \frac{464 \div 8}{10}$

$= \frac{58}{10} = 5.8$

따라서 ○ 안에 알맞은 것은 $<$ 입니다.

30 답 $>$

$44.5 \div 5 = \frac{445}{10} \div 5 = \frac{445 \div 5}{10}$

$= \frac{89}{10} = 8.9$

$49.32 \div 6 = \frac{4932}{100} \div 6 = \frac{4932 \div 6}{100}$

$= \frac{822}{100} = 8.22$

따라서 ○ 안에 알맞은 것은 $>$ 입니다.

09 (소수)÷(자연수) (3)

p. 43~45

> 예제 따라 풀어보는 연산

01 0.9 **02** 0.72 **03** 0.23
04 0.28 **05** 0.72 **06** 0.26
07 0.67 **08** 0.52 **09** 0.9
10 0.72 **11** 0.82 **12** 0.94

> 스스로 풀어보는 연산

13 0.67 **14** 0.86 **15** 0.95
16 0.92 **17** 0.24 **18** 0.96
19 0.65 **20** 0.44 **21** 0.13
22 0.13 **23** 0.25 **24** 0.46
25 0.61 **26** 0.29

> 응용 연산

27 0.64 **28** 0.62 **29** 풀이 참조
30 풀이 참조 **31** $>$ **32** $<$
33 (위에서부터) 0.21, 0.41, 0.22
34 (왼쪽에서부터) 0.2, 0.71, 0.12

01 답 0.9

$$1.8\div2=\frac{18}{10}\div2=\frac{18\div2}{10}=\frac{9}{10}=0.9$$

02 답 0.72

$$6.48\div9=\frac{648}{100}\div9=\frac{648\div9}{100}=\frac{72}{100}=0.72$$

03 답 0.23

$$1.38\div6=\frac{138}{100}\div6=\frac{138\div6}{100}=\frac{23}{100}=0.23$$

04 답 0.28

$$1.12\div4=\frac{112}{100}\div4=\frac{112\div4}{100}=\frac{28}{100}=0.28$$

09 답 0.9

$$\begin{array}{r} 0.9 \\ 4\overline{)3.6} \\ \underline{3\,6} \\ 0 \end{array}$$

10 답 0.72

$$\begin{array}{r} 0.7\,2 \\ 9\overline{)6.4\,8} \\ \underline{6\,3} \\ 1\,8 \\ \underline{1\,8} \\ 0 \end{array}$$

11 답 0.82

$$\begin{array}{r} 0.8\,2 \\ 4\overline{)3.2\,8} \\ \underline{3\,2} \\ 8 \\ \underline{8} \\ 0 \end{array}$$

12 답 0.94

$$\begin{array}{r} 0.9\,4 \\ 7\overline{)6.5\,8} \\ \underline{6\,3} \\ 2\,8 \\ \underline{2\,8} \\ 0 \end{array}$$

13 답 0.67

$$1.34\div2=\frac{134}{100}\div2=\frac{134\div2}{100}=\frac{67}{100}=0.67$$

14 답 0.86

$$2.58\div3=\frac{258}{100}\div3=\frac{258\div3}{100}=\frac{86}{100}=0.86$$

15 답 0.95

$$4.75\div5=\frac{475}{100}\div5=\frac{475\div5}{100}=\frac{95}{100}=0.95$$

16 답 0.92

$$5.52\div6=\frac{552}{100}\div6=\frac{552\div6}{100}=\frac{92}{100}=0.92$$

18 답 0.96

$$\begin{array}{r} 0.9\,6 \\ 9\overline{)8.6\,4} \\ \underline{8\,1} \\ 5\,4 \\ \underline{5\,4} \\ 0 \end{array}$$

19 답 0.65

$$\begin{array}{r} 0.6\,5 \\ 5\overline{)3.2\,5} \\ \underline{3\,0} \\ 2\,5 \\ \underline{2\,5} \\ 0 \end{array}$$

20 답 0.44

$$\begin{array}{r} 0.4\,4 \\ 7\overline{)3.0\,8} \\ \underline{2\,8} \\ 2\,8 \\ \underline{2\,8} \\ 0 \end{array}$$

21 답 0.13

$$\begin{array}{r} 0.1\,3 \\ 7\overline{)0.9\,1} \\ \underline{7} \\ 2\,1 \\ \underline{2\,1} \\ 0 \end{array}$$

23 답 0.25

$$\begin{array}{r} 0.2\,5 \\ 7\overline{)1.7\,5} \\ \underline{1\,4} \\ 3\,5 \\ \underline{3\,5} \\ 0 \end{array}$$

24 답 0.46

$$\begin{array}{r} 0.4\,6 \\ 3\overline{)1.3\,8} \\ \underline{1\,2} \\ 1\,8 \\ \underline{1\,8} \\ 0 \end{array}$$

25 답 0.61

```
   0.6 1
8)4.8 8
  4 8
      8
      8
      0
```

26 답 0.29

```
   0.2 9
5)1.4 5
  1 0
    4 5
    4 5
      0
```

27 답 0.64

```
   0.6 4
8)5.1 2
  4 8
    3 2
    3 2
      0
```

28 답 0.62

```
   0.6 2
7)4.3 4
  4 2
    1 4
    1 4
      0
```

29 답

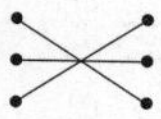

```
   0.6       0.7 3       0.1 6
6)3.6     5)3.6 5     8)1.2 8
  3 6       3 5           8
    0         1 5         4 8
              1 5         4 8
                0           0
```

30 답

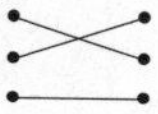

```
   0.5 7      0.2 7      0.3 1
3)1.7 1    4)1.0 8    7)2.1 7
  1 5          8        2 1
    2 1        2 8          7
    2 1        2 8          7
      0          0          0
```

31 답 >

```
   0.9 3      0.9 1
4)3.7 2    8)7.2 8
  3 6        7 2
    1 2          8
    1 2          8
      0          0
```

따라서 ○ 안에 알맞은 것은 >입니다.

32 답 <

```
   0.3 4      0.3 6
7)2.3 8    9)3.2 4
  2 1        2 7
    2 8        5 4
    2 8        5 4
      0          0
```

따라서 ○ 안에 알맞은 것은 <입니다.

33 답 (위에서부터) 0.21, 0.41, 0.22

```
   0.2 1      0.4 1      0.2 2
5)1.0 5    8)3.2 8    9)1.9 8
  1 0        3 2        1 8
      5          8        1 8
      5          8        1 8
      0          0          0
```

34 답 (왼쪽에서부터) 0.2, 0.71, 0.12

```
   0.2       0.7 1      0.1 2
6)1.2     8)5.6 8    7)0.8 4
  1 2       5 6          7
    0           8        1 4
                8        1 4
                0          0
```

10 (소수)÷(자연수) (4)

p. 47~49

> 예제 따라 풀어보는 연산

01 0.85 **02** 0.84 **03** 0.35
04 1.05 **05** 1.36 **06** 1.55
07 4.05 **08** 6.05 **09** 1.46
10 0.42 **11** 1.15 **12** 6.04

> 스스로 풀어보는 연산

13 2.04 **14** 17.65 **15** 1.36
16 1.55 **17** 0.45 **18** 6.06
19 0.64 **20** 0.65 **21** 0.95
22 1.35 **23** 4.05 **24** 6.05
25 7.05 **26** 4.05

> 응용 연산

27 9.35 **28** 9.04 **29** 풀이 참조
30 풀이 참조 **31** > **32** <
33 (위에서부터) 0.95, 4.85, 5.52
34 (왼쪽에서부터) 3.05, 1.08, 6.05

01 답 0.85

$$1.7\div2=\frac{170}{100}\div2=\frac{170\div2}{100}=\frac{85}{100}=0.85$$

02 답 0.84

$$4.2\div5=\frac{420}{100}\div5=\frac{420\div5}{100}=\frac{84}{100}=0.84$$

03 답 0.35

$$1.4\div4=\frac{140}{100}\div4=\frac{140\div4}{100}=\frac{35}{100}=0.35$$

04 답 1.05

$$6.3\div6=\frac{630}{100}\div6=\frac{630\div6}{100}=\frac{105}{100}=1.05$$

09 답 1.46

$$\begin{array}{r} 1.46 \\ 5\overline{)7.30} \\ \underline{5} \\ 23 \\ \underline{20} \\ 30 \\ \underline{30} \\ 0 \end{array}$$

10 답 0.42

$$\begin{array}{r} 0.42 \\ 5\overline{)2.10} \\ \underline{20} \\ 10 \\ \underline{10} \\ 0 \end{array}$$

11 답 1.15

$$\begin{array}{r} 1.15 \\ 8\overline{)9.20} \\ \underline{8} \\ 12 \\ \underline{8} \\ 40 \\ \underline{40} \\ 0 \end{array}$$

12 답 6.04

$$\begin{array}{r} 6.04 \\ 5\overline{)30.20} \\ \underline{30} \\ 20 \\ \underline{20} \\ 0 \end{array}$$

13 답 2.04

$$10.2\div5=\frac{1020}{100}\div5=\frac{1020\div5}{100}=\frac{204}{100}=2.04$$

14 답 17.65

$$70.6\div4=\frac{7060}{100}\div4=\frac{7060\div4}{100}$$
$$=\frac{1765}{100}=17.65$$

15 답 1.36

$$6.8\div5=\frac{680}{100}\div5=\frac{680\div5}{100}=\frac{136}{100}=1.36$$

16 답 1.55

$$9.3\div6=\frac{930}{100}\div6=\frac{930\div6}{100}=\frac{155}{100}=1.55$$

17 답 0.45

$$\begin{array}{r} 0.45 \\ 8\overline{)3.60} \\ \underline{32} \\ 40 \\ \underline{40} \\ 0 \end{array}$$

18 답 6.06

$$\begin{array}{r} 6.06 \\ 5\overline{)30.30} \\ \underline{30} \\ 30 \\ \underline{30} \\ 0 \end{array}$$

19 답 0.64

$$\begin{array}{r} 0.64 \\ 5\overline{)3.20} \\ \underline{30} \\ 20 \\ \underline{20} \\ 0 \end{array}$$

20 답 0.65

$$\begin{array}{r} 0.65 \\ 4\overline{)2.60} \\ \underline{24} \\ 20 \\ \underline{20} \\ 0 \end{array}$$

21 답 0.95

$$\begin{array}{r} 0.95 \\ 6\overline{)5.70} \\ \underline{54} \\ 30 \\ \underline{30} \\ 0 \end{array}$$

22 답 1.35

$$\begin{array}{r} 1.35 \\ 2\overline{)2.70} \\ \underline{2} \\ 7 \\ \underline{6} \\ 10 \\ \underline{10} \\ 0 \end{array}$$

23 답 4.05

$$\begin{array}{r} 4.05 \\ 2\overline{)8.10} \\ \underline{8} \\ 10 \\ \underline{10} \\ 0 \end{array}$$

24 답 6.05

$$\begin{array}{r} 6.05 \\ 8\overline{)48.40} \\ \underline{48} \\ 40 \\ \underline{40} \\ 0 \end{array}$$

25 답 7.05

$$\begin{array}{r} 7.05 \\ 4\overline{)28.20} \\ \underline{28} \\ 20 \\ \underline{20} \\ 0 \end{array}$$

26 답 4.05

$$\begin{array}{r} 4.05 \\ 6\overline{)24.30} \\ \underline{24} \\ 30 \\ \underline{30} \\ 0 \end{array}$$

27 답 9.35

$$\begin{array}{r} 9.35 \\ 6\overline{)56.10} \\ \underline{54} \\ 21 \\ \underline{18} \\ 30 \\ \underline{30} \\ 0 \end{array}$$

28 답 9.04

$$\begin{array}{r} 9.04 \\ 5\overline{)45.20} \\ \underline{45} \\ 20 \\ \underline{20} \\ 0 \end{array}$$

29 답 (선 잇기)

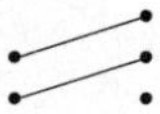

```
   8.0 5        4.6 8
4)3 2.2 0    5)2 3.4 0
  3 2          2 0
    2 0          3 4
    2 0          3 0
      0            4 0
                   4 0
                     0
```

30 답 (선 잇기)

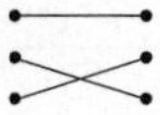

```
   4.7 5        0.3 5        1.3 5
6)2 8.5 0    4)1.4 0      6)8.1 0
  2 4          1 2          6
    4 5          2 0        2 1
    4 2          2 0        1 8
      3 0          0          3 0
      3 0                     3 0
        0                       0
```

31 답 >

```
   3.3 5        3.0 5
4)1 3.4 0    6)1 8.3 0
  1 2          1 8
    1 4            3 0
    1 2            3 0
      2 0            0
      2 0
        0
```

따라서 ○ 안에 알맞은 것은 > 입니다.

32 답 <

```
   4.0 5        4.1 5
6)2 4.3 0    8)3 3.2 0
  2 4          3 2
    3 0          1 2
    3 0            8
      0            4 0
                   4 0
                     0
```

따라서 ○ 안에 알맞은 것은 < 입니다.

33 답 **(위에서부터)** 0.95, 4.85, 5.52

```
   0.9 5        4.8 5        5.5 2
6)5.7 0      8)3 8.8 0    5)2 7.6 0
  5 4          3 2          2 5
    3 0          6 8          2 6
    3 0          6 4          2 5
      0            4 0          1 0
                   4 0          1 0
                     0            0
```

34 답 **(왼쪽에서부터)** 3.05, 1.08, 6.05

```
   3.0 5        1.0 8        6.0 5
4)1 2.2 0    5)5.4 0      2)1 2.1 0
  1 2          5            1 2
    2 0          4 0          1 0
    2 0          4 0          1 0
      0            0            0
```

11 (자연수)÷(자연수)와 소수점 위치

p. 51~53

> 예제 따라 풀어보는 연산

01 5.5 **02** 2.5 **03** 2.4
04 0.65 **05** 1.6 **06** 2.5 **07** 3.5
08 4.5 **09** (위에서부터) 25, 6, 6.35
10 (위에서부터) 14, 3, 2.72
11 (위에서부터) 81, 12, 11.5
12 (위에서부터) 64, 21, 21.4

> 스스로 풀어보는 연산

13 16.5 **14** 4.8 **15** 7.5 **16** 0.6
17 1.5 **18** 3.5 **19** 2.75 **20** 1.2
21 2.25 **22** 3.6
23 (위에서부터) 83, 14, 13.9
24 (위에서부터) 47, 9, 9.44
25 (위에서부터) 27, 7, 6.65
26 (위에서부터) 12, 6, 5.85

> 응용 연산

27 풀이 참조 **28** 풀이 참조
29 풀이 참조 **30** 풀이 참조
31 < **32** > **33** ㉠ **34** ㉡

01 답 5.5

$11\div2=\frac{11}{2}=\frac{55}{10}=5.5$

02 답 2.5

$10\div4=\frac{10}{4}=\frac{5}{2}=\frac{25}{10}=2.5$

03 답 2.4

$12\div5=\frac{12}{5}=\frac{24}{10}=2.4$

04 답 0.65

$13\div20=\frac{13}{20}=\frac{65}{100}=0.65$

05 답 1.6

```
    1.6
5 ) 8.0
    5
    3 0
    3 0
      0
```

06 답 2.5

```
      2.5
6 ) 1 5.0
    1 2
      3 0
      3 0
        0
```

07 답 3.5

```
      3.5
8 ) 2 8.0
    2 4
      4 0
      4 0
        0
```

08 답 4.5

```
      4.5
4 ) 1 8.0
    1 6
      2 0
      2 0
        0
```

13 답 16.5

$33\div2=\frac{33}{2}=\frac{165}{10}=16.5$

14 답 4.8

$24\div5=\frac{24}{5}=\frac{48}{10}=4.8$

15 답 7.5

$45\div6=\frac{45}{6}=\frac{15}{2}=\frac{75}{10}=7.5$

16 답 0.6

$18\div30=\frac{18}{30}=\frac{6}{10}=0.6$

17 답 1.5

```
      1.5
8 ) 1 2.0
      8
      4 0
      4 0
        0
```

18 답 3.5

```
       3.5
18 ) 6 3.0
     5 4
       9 0
       9 0
         0
```

19 답 2.75

```
       2.7 5
24 ) 6 6.0 0
     4 8
     1 8 0
     1 6 8
       1 2 0
       1 2 0
           0
```

20 답 1.2

```
       1.2
35 ) 4 2.0
     3 5
       7 0
       7 0
         0
```

21 답 2.25

```
    2.2 5
4 ) 9.0 0
    8
    1 0
      8
      2 0
      2 0
        0
```

22 답 3.6

```
      3.6
5 ) 1 8.0
    1 5
      3 0
      3 0
        0
```

27 답

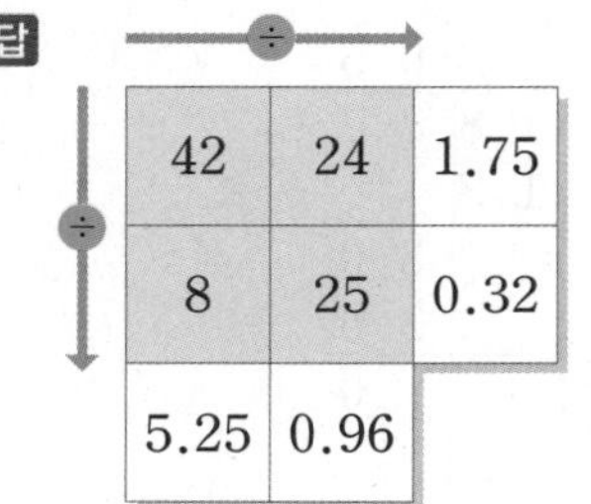

÷
÷
42
24
1.75
8
25
0.32
5.25
0.96


```
       1.7 5
24 ) 4 2.0 0
     2 4
     1 8 0
     1 6 8
       1 2 0
       1 2 0
           0
```

```
       0.3 2
25 ) 8.0 0
     7 5
       5 0
       5 0
         0
```

```
      5.2 5
8 ) 4 2.0 0
    4 0
      2 0
      1 6
        4 0
        4 0
          0
```

```
       0.9 6
25 ) 2 4.0 0
     2 2 5
       1 5 0
       1 5 0
           0
```

28 답

51	12	4.25
15	8	1.875
3.4	1.5	

$$\begin{array}{r} 4.25 \\ 12\overline{)51.00} \\ \underline{48} \\ 30 \\ \underline{24} \\ 60 \\ \underline{60} \\ 0 \end{array} \qquad \begin{array}{r} 1.875 \\ 8\overline{)15.000} \\ \underline{8} \\ 70 \\ \underline{64} \\ 60 \\ \underline{56} \\ 40 \\ \underline{40} \\ 0 \end{array}$$

$$\begin{array}{r} 3.4 \\ 15\overline{)51.0} \\ \underline{45} \\ 60 \\ \underline{60} \\ 0 \end{array} \qquad \begin{array}{r} 1.5 \\ 8\overline{)12.0} \\ \underline{8} \\ 40 \\ \underline{40} \\ 0 \end{array}$$

29 답 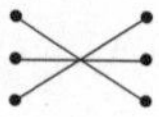

$$\begin{array}{r} 8.75 \\ 4\overline{)35.00} \\ \underline{32} \\ 30 \\ \underline{28} \\ 20 \\ \underline{20} \\ 0 \end{array} \qquad \begin{array}{r} 1.5 \\ 24\overline{)36.0} \\ \underline{24} \\ 120 \\ \underline{120} \\ 0 \end{array} \qquad \begin{array}{r} 2.5 \\ 8\overline{)20.0} \\ \underline{16} \\ 40 \\ \underline{40} \\ 0 \end{array}$$

30 답 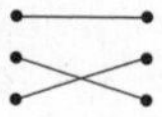

$$\begin{array}{r} 7.75 \\ 4\overline{)31.00} \\ \underline{28} \\ 30 \\ \underline{28} \\ 20 \\ \underline{20} \\ 0 \end{array} \qquad \begin{array}{r} 2.5 \\ 18\overline{)45.0} \\ \underline{36} \\ 90 \\ \underline{90} \\ 0 \end{array} \qquad \begin{array}{r} 3.25 \\ 12\overline{)39.00} \\ \underline{36} \\ 30 \\ \underline{24} \\ 60 \\ \underline{60} \\ 0 \end{array}$$

31 답 $<$

$$\begin{array}{r} 4.25 \\ 24\overline{)102.00} \\ \underline{96} \\ 60 \\ \underline{48} \\ 120 \\ \underline{120} \\ 0 \end{array} \qquad \begin{array}{r} 4.4 \\ 15\overline{)66.0} \\ \underline{60} \\ 60 \\ \underline{60} \\ 0 \end{array}$$

따라서 ○ 안에 알맞은 것은 $<$ 입니다.

32 답 $>$

$$\begin{array}{r} 8.5 \\ 2\overline{)17.0} \\ \underline{16} \\ 10 \\ \underline{10} \\ 0 \end{array} \qquad \begin{array}{r} 7.5 \\ 12\overline{)90.0} \\ \underline{84} \\ 60 \\ \underline{60} \\ 0 \end{array}$$

따라서 ○ 안에 알맞은 것은 $>$ 입니다.

33 답 ㉠

나누어지는 수가 나누는 수보다 크면 몫이 1보다 크므로 몫이 1보다 큰 나눗셈은 ㉠입니다.

p. 54

재미있게, 우리 연산하자!

$62.4\div2=31.2$

❶$\div3=31.2\div3=\frac{312}{10}\div3=\frac{312\div3}{10}=\frac{104}{10}=10.4$

❷$\div5=10.4\div5=\frac{1040}{100}\div5=\frac{1040\div5}{100}=\frac{208}{100}=2.08$

❸$\div4=2.08\div4=\frac{208}{100}\div4=\frac{208\div4}{100}=\frac{52}{100}=0.52$

❹$\div4=0.52\div4=\frac{52}{100}\div4=\frac{52\div4}{100}=\frac{13}{100}=0.13$

❺$\times200=0.13\times200=26$

❻$\div4=26\div4=\frac{26}{4}=\frac{650}{100}=6.5$

❼$\div2=6.5\div2=\frac{650}{100}\div2=\frac{650\div2}{100}=\frac{325}{100}=3.25$

❽$\div5=3.25\div5=\frac{325}{100}\div5=\frac{325\div5}{100}=\frac{65}{100}=0.65$

❾$\div2=0.65\div2=\frac{650}{1000}\div2=\frac{650\div2}{1000}=\frac{325}{1000}$

$=0.325$

따라서 ❿에 해당하는 수는 0.325입니다.

답 0.325

4 ::: 비와 비율

12 비

p. 57~59

> 예제 따라 풀어보는 연산

01 풀이 참조 **02** 풀이 참조
03 풀이 참조 **04** 풀이 참조
05 5 : 4 **06** 5 : 3 **07** 8 : 5
08 6 : 2 **09** 8 : 3 **10** 5 : 12
11 8 : 11 **12** 6 : 14

> 스스로 풀어보는 연산

13 1 : 5 **14** 4 : 13 **15** 7 : 9
16 2 : 11 **17** 4 : 5 **18** 5 : 3
19 10 : 5 **20** 3 : 1 **21** 2 : 6
22 8 : 4 **23** 5 : 2 **24** 3 : 4
25 8 : 5 **26** 3 : 1

> 응용 연산

27 7 : 3 **28** 13 : 15 **29** ①, ⑤
30 ④, ⑤ **31** 풀이 참조
32 풀이 참조
33 (위에서부터) 6 : 5, 6 : 5, 5 : 6
34 (위에서부터) 3 : 2, 2 : 3, 3 : 2

01 답 풀이 참조
10−5=5이므로 10은 5보다 5만큼 더 큽니다.
10÷5=2이므로 10은 5의 2배입니다.

02 답 풀이 참조
9−3=6이므로 9는 3보다 6만큼 더 큽니다.
9÷3=3이므로 9는 3의 3배입니다.

03 답 풀이 참조
8−2=6이므로 8은 2보다 6만큼 더 큽니다.
8÷2=4이므로 8은 2의 4배입니다.

04 답 풀이 참조
10−2=8이므로 10은 2보다 8만큼 더 큽니다.
10÷2=5이므로 10은 2의 5배입니다.

29 답 ①, ⑤
②, ③, ④는 7 : 5입니다.

30 답 ④, ⑤
①, ②, ③은 8 : 3입니다.

31 답 풀이 참조
4칸 중 2칸을 색칠합니다.

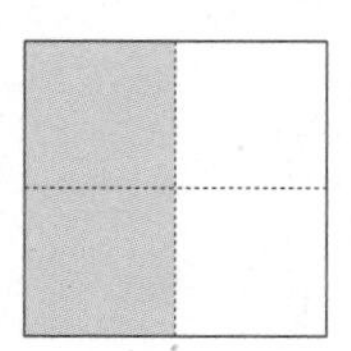

32 답 풀이 참조
8칸 중 5칸을 색칠합니다.

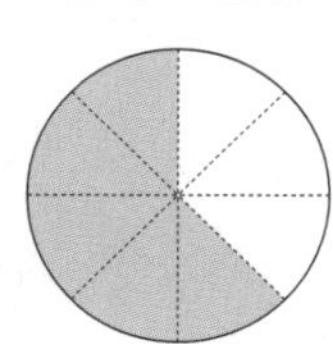

13 비율

p. 61~63

> 예제 따라 풀어보는 연산

01 (위에서부터) $\frac{7}{5}$, 7, 5

02 (위에서부터) $\frac{9}{13}$, 9, 13

03 (위에서부터) $\frac{3}{8}$, 3, 8

04 (위에서부터) $\frac{11}{2}$, 11, 2　05 $\frac{14}{15}$

06 $\frac{3}{4}$　07 $\frac{5}{7}$　08 $\frac{6}{12}$　09 0.5

10 0.25　11 0.2　12 0.4

> 스스로 풀어보는 연산

13 1, 5, $\frac{1}{5}$(=0.2)　14 5, 13, $\frac{5}{13}$

15 7, 9, $\frac{7}{9}$　16 13, 2, $\frac{13}{2}$(=6.5)

17 4, 5, $\frac{4}{5}$(=0.8)　18 3, 5, $\frac{3}{5}$(=0.6)

19 10, 5, 2　20 3, 1, 3　21 6, 5, $\frac{6}{5}$(=1.2)

22 8, 4, 2　23 5, 2, $\frac{5}{2}$(=2.5)

24 3, 4, $\frac{3}{4}$(=0.75)　25 8, 5, $\frac{8}{5}$(=1.6)

26 3, 1, 3

> 응용 연산

27 ㉣　28 ㉣

29 0.25　30 0.375　31 $\frac{1}{2}$

32 가: 0.8, 나: 0.8　33 풀이 참조

34 풀이 참조

06 답 $\frac{3}{4}$

3과 4의 비는 3 : 4입니다.

07 답 $\frac{5}{7}$

5대 7은 5 : 7입니다.

09 답 0.5

9 : 18 ⇨ $9\div18=\frac{9}{18}=\frac{1}{2}=0.5$

10 답 0.25

3 : 12 ⇨ $3\div12=\frac{3}{12}=\frac{1}{4}=0.25$

11 답 0.2

7 : 35 ⇨ $7\div35=\frac{7}{35}=\frac{1}{5}=0.2$

12 답 0.4

6 : 15 ⇨ $6\div15=\frac{6}{15}=\frac{2}{5}=0.4$

19 답 10, 5, 2

$10\div5=2$

23 답 5, 2, $\frac{5}{2}$(=2.5)

5 : 2 ⇨ $5\div2=\frac{5}{2}$(=2.5)

24 답 3, 4, $\frac{3}{4}$(=0.75)

3 : 4 ⇨ $3\div4=\frac{3}{4}$(=0.75)

25 답 8, 5, $\frac{8}{5}$(=1.6)

8 : 5 ⇨ $8\div5=\frac{8}{5}$(=1.6)

26 답 3, 1, 3

3 : 1 ⇨ $3\div1=3$

27 답 ㉣

기준량을 나타내는 수를 ○표하면 다음과 같습니다.

㉠ 8 : ⑦　㉡ 4 : ⑦　㉢ 1 : ⑦　㉣ 7 : ⑨

28 답 ㉣

기준량을 나타내는 수를 ○표하면 다음과 같습니다.

㉠ 4 : ⑨　㉡ 3 : ⑨　㉢ 5 : ⑨　㉣ 9 : ⑥

29 답 0.25

4 : 16 ⇨ $4\div16=\frac{4}{16}=\frac{1}{4}=0.25$

30 답 0.375

3 : 8 ⇨ $3\div8=\frac{3}{8}=0.375$

31 답 $\frac{1}{2}$

1 : 2 ⇨ $1\div2=\frac{1}{2}$

32 답 가: 0.8, 나: 0.8

가: 20 : 25 ⇨ $20\div25=\frac{20}{25}=\frac{4}{5}=0.8$

나: 12 : 15 ⇨ $12\div15=\frac{12}{15}=\frac{4}{5}=0.8$

33 답

8 : 15 ⇨ $8\div15=\frac{8}{15}$

5 : 12 ⇨ $5\div12=\frac{5}{12}$

12 : 5 ⇨ $12\div5=\frac{12}{5}$

34 답

6 : 10 ⇨ $6\div10=\frac{6}{10}=0.6$

4와 25의 비 ⇨ 4 : 25

⇨ $4\div25=\frac{4}{25}=0.16$

16에 대한 12의 비 ⇨ 12 : 16

⇨ $12\div16=\frac{12}{16}=0.75$

1의 4에 대한 비 ⇨ 1 : 4

⇨ $1\div4=\frac{1}{4}=0.25$

14 백분율

p. 65~67

> 예제 따라 풀어보는 연산

01 140 % **02** 40 % **03** 55 %
04 16 % **05** 12 % **06** 3.5 %
07 27 % **08** 6 % **09** 75 %
10 70 % **11** 45 % **12** 46 %

> 스스로 풀어보는 연산

13 25 % **14** 60 % **15** 7 %
16 120 % **17** 25 % **18** 3.4 %
19 80.5 % **20** 1.3 % **21** 20 %
22 20 % **23** 50 % **24** 50 %
25 80 % **26** 60 %

> 응용 연산

27 (1) $<$ (2) $>$ **28** (1) $>$ (2) $>$
29 87.5 % **30** 75 % **31** ○
32 × **33** 65 % **34** 84 %

01 답 140 %

$\frac{7}{5}$ ⇨ $\frac{7}{5}\times100=140$ ⇨ 140 %

02 답 40 %

$\frac{4}{10}$ ⇨ $\frac{4}{10}\times100=40$ ⇨ 40 %

03 답 55 %

$\frac{11}{20}$ ⇨ $\frac{11}{20}\times100=55$ ⇨ 55 %

04 답 16 %

$\frac{4}{25}$ ⇨ $\frac{4}{25}\times100=16$ ⇨ 16 %

05 답 12 %

0.12 ⇨ $0.12\times100=12$ ⇨ 12 %

06 답 3.5 %

0.035 ⇨ $0.035\times100=3.5$ ⇨ 3.5 %

07 답 27 %

0.27 ⇨ $0.27\times100=27$ ⇨ 27 %

08 답 6 %

$0.06 \Rightarrow 0.06\times100=6 \Rightarrow 6\ \%$

09 답 75 %

$\frac{3}{4}\times100=75 \Rightarrow 75\ \%$

10 답 70 %

$\frac{7}{10}\times100=70 \Rightarrow 70\ \%$

11 답 45 %

$\frac{9}{20}\times100=45 \Rightarrow 45\ \%$

12 답 46 %

$\frac{23}{50}\times100=46 \Rightarrow 46\ \%$

13 답 25 %

$\frac{1}{4}\times100=25(\%)$

14 답 60 %

$\frac{3}{5}\times100=60(\%)$

15 답 7 %

$\frac{14}{200}\times100=7(\%)$

16 답 120 %

$\frac{168}{140}\times100=120(\%)$

17 답 25 %

$0.25\times100=25(\%)$

18 답 3.4 %

$0.034\times100=3.4(\%)$

19 답 80.5 %

$0.805\times100=80.5(\%)$

20 답 1.3 %

$0.013\times100=1.3(\%)$

21 답 20 %

$\frac{1}{5}\times100=20(\%)$

22 답 20 %

$\frac{5}{25}\times100=20(\%)$

23 답 50 %

$\frac{7}{14}\times100=50(\%)$

24 답 50 %

$\frac{11}{22}\times100=50(\%)$

25 답 80 %

$\frac{4}{5}\times100=80(\%)$

26 답 60 %

$\frac{3}{5}\times100=60(\%)$

27 답 (1) $<$ (2) $>$

(1) $33\ \% \Rightarrow \frac{33}{100}=\frac{99}{300}$

$\frac{1}{3}=\frac{100}{300}$

따라서 ○ 안에 알맞은 것은 $<$ 입니다.

(2) $0.631\times100=63.1 \Rightarrow 63.1\ \%$

따라서 ○ 안에 알맞은 것은 $>$ 입니다.

28 답 (1) $>$ (2) $>$

(1) $0.405\times100=40.5 \Rightarrow 40.5\ \%$

따라서 ○ 안에 알맞은 것은 $>$ 입니다.

(2) $\frac{3}{4}=0.75 \Rightarrow 0.75\times100=75 \Rightarrow 75\ \%$

따라서 ○ 안에 알맞은 것은 $>$ 입니다.

29 답 87.5 %

$\frac{7}{8}\times100=87.5(\%)$

30 답 75 %

$\frac{9}{12}\times100=75(\%)$

31 답 ○

$\frac{9}{20}\times100=45(\%)$

32 답 ×

$\frac{1}{5}=0.2 \Rightarrow 0.2\times100=20(\%)$

33 답 65 %

$\frac{13}{20}\times100=65(\%)$

34 답 84 %

$\frac{21}{25}\times100=84(\%)$

p. 68

재미있게, 우리 연산하자!

3 : 5 ⇨ $\frac{3}{5}=\frac{120}{200}=\frac{150}{250}$ ⇨ 60 %

25 % ⇨ $\frac{25}{100}=\frac{1}{4}=\frac{22}{88}$

⇨ 1 : 4 ⇨ 3 : 12 ⇨ 5 : 20

⇨ 5의 20에 대한 비

답 (위에서부터) 200, 150, 60, 22, 12, 20

5 ::: 여러 가지 그래프

15 띠그래프

p. 71~73

> 예제 따라 풀어보는 연산

01 30 % 02 20 % 03 10 %
04 100 % 05 풀이 참조 06 풀이 참조

> 스스로 풀어보는 연산

07 25, 20, 100
08 (왼쪽에서부터) 45, 도보
09 (왼쪽에서부터) 35, 30, 20, 15, 100
10 (왼쪽에서부터) 35, 30, 농구, 15
11 떡볶이 12 1.5배

> 응용 연산

13 35 % 14 40 % 15 5 %
16 5 % 17 풀이 참조 18 풀이 참조

01 답 30 %

$\frac{9}{30}\times100=30(\%)$

02 답 20 %

$\frac{6}{30}\times100=20(\%)$

03 답 10 %

$\frac{3}{30}\times100=10(\%)$

05 답

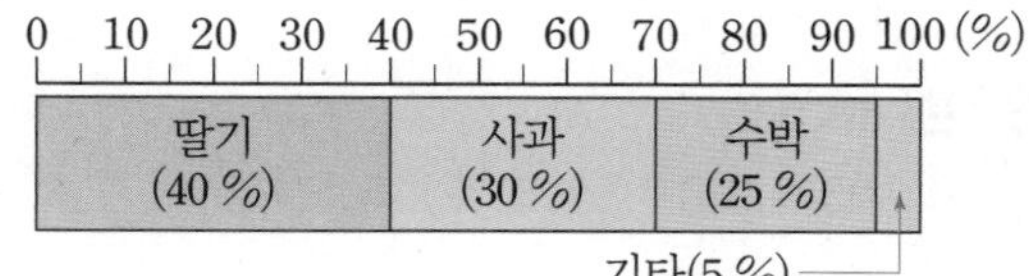

06 답

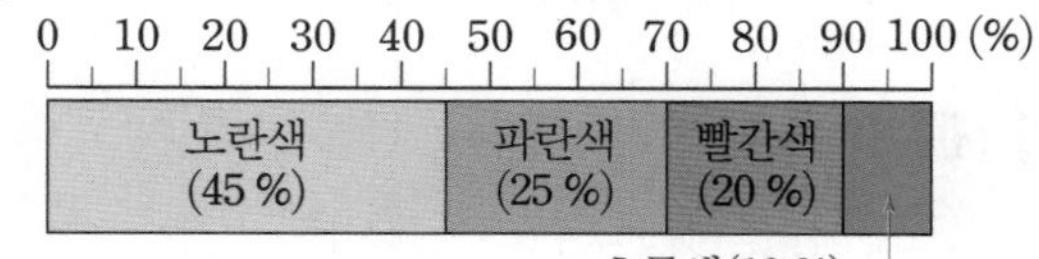

07 답 (왼쪽에서부터) 25, 20, 100

도보: $\frac{30}{120}\times100=25(\%)$

버스: $\frac{24}{120}\times100=20(\%)$

합계: 100 %

09 답 (왼쪽에서부터) 35, 30, 20, 15, 100

축구: $\frac{105}{300}\times100=35(\%)$

야구: $\frac{90}{300}\times100=30(\%)$

농구: $\frac{60}{300}\times100=20(\%)$

기타: $\frac{45}{300}\times100=15(\%)$

합계: 100 %

12 답 1.5배

$\frac{30}{20}=\frac{3}{2}=1.5$(배)

13 답 35 %

가장 많은 학생들이 좋아하는 계절은 봄이고 35 %입니다.

14 답 40 %

가장 많은 학생들이 기르고 싶어 하는 애완동물은 강아지이고 40 %입니다.

15 답 5 %

가장 적은 학생들의 취미는 등산이고 5 %입니다.

16 답 5 %

가장 적은 성씨는 정씨이고 5 %입니다.

17 답 풀이 참조

좋아하는 과목별 학생 수

과목	국어	음악	과학	수학	기타	합계
학생 수(명)	80	50	40	20	10	200
백분율(%)	40	25	20	10	5	100

좋아하는 과목별 학생 수

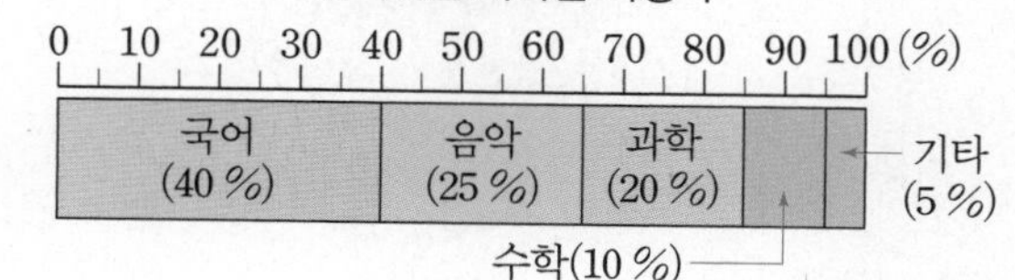

18 답 풀이 참조

친해지고 싶은 친구 유형별 학생 수

유형	긍정적인 친구	착한 친구	재미있는 친구	똑똑한 친구	기타	합계
학생 수(명)	90	50	30	20	10	200
백분율(%)	45	25	15	10	5	100

친해지고 싶은 친구 유형별 학생 수

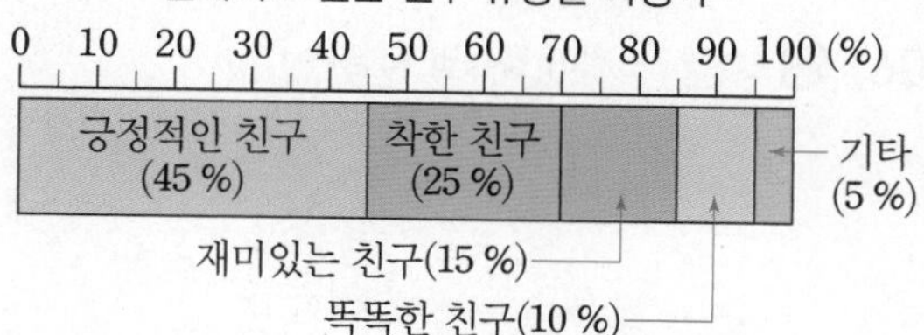

16 원그래프

p. 75~77

> 예제 따라 풀어보는 연산

01 25 % **02** 20 % **03** 10 %
04 100 % **05** 풀이 참조 **06** 풀이 참조

> 스스로 풀어보는 연산

07 (왼쪽에서부터) 25, 15, 100
08 (왼쪽에서부터) 포도, 25
09 (왼쪽에서부터) 40, 25, 15, 20, 100
10 (왼쪽에서부터) 위인전, 25
11 돈가스 **12** 2배

> 응용 연산

13 40 % **14** 30 % **15** 10 %
16 15 % **17** 풀이 참조 **18** 풀이 참조

01 답 25 %

$\frac{10}{40}\times100=25(\%)$

02 답 20 %

$\frac{8}{40}\times100=20(\%)$

03 답 10 %

$\frac{4}{40}\times100=10(\%)$

05 답

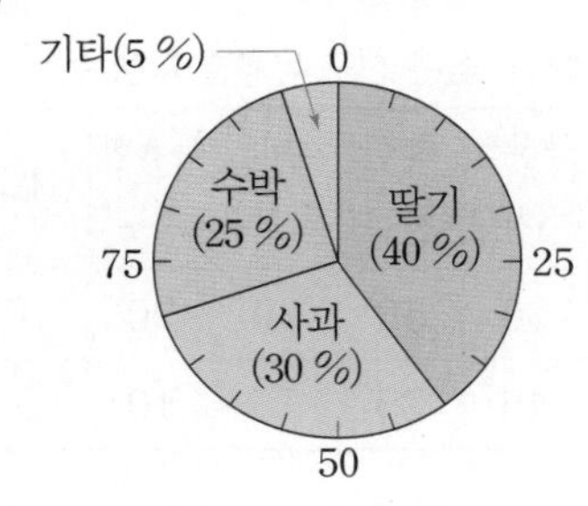

06 답

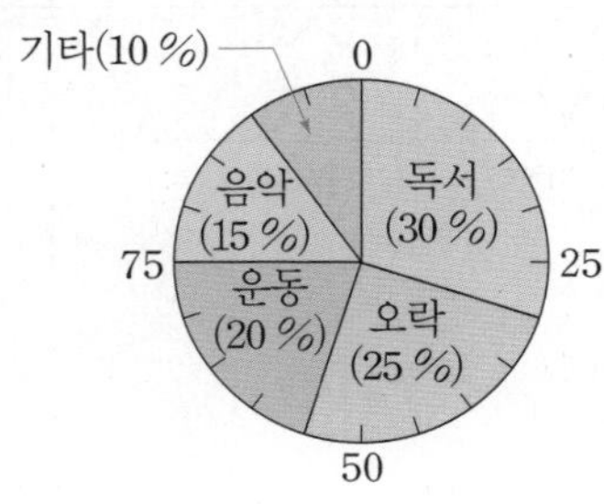

07 답 (왼쪽에서부터) 25, 15, 100

포도: $\frac{10}{40}\times 100=25(\%)$

기타: $\frac{6}{40}\times 100=15(\%)$

09 답 (왼쪽에서부터) 40, 25, 15, 20, 100

동화책: $\frac{160}{400}\times 100=40(\%)$

과학책: $\frac{100}{400}\times 100=25(\%)$

위인전: $\frac{60}{400}\times 100=15(\%)$

기타: $\frac{80}{400}\times 100=20(\%)$

12 답 2배

$\frac{40}{20}=2$(배)

13 답 40 %

가장 많은 학생이 좋아하는 문화재는 숭례문이고 40 %입니다.

14 답 30 %

가장 많은 득표를 차지한 학생은 효종이고 30 %입니다.

15 답 10 %

가장 적은 학생들이 좋아하는 과목은 체육이고 10 %입니다.

16 답 15 %

가장 적은 학생들이 하고 싶은 일은 봉사 활동이고 15 %입니다.

17 답 풀이 참조

강선화: $\frac{80}{320}\times 100=25(\%)$

김현석: $\frac{112}{320}\times 100=35(\%)$

나혜실: $\frac{48}{320}\times 100=15(\%)$

최지훈: $\frac{48}{320}\times 100=15(\%)$

한미옥: $\frac{32}{320}\times 100=10(\%)$

후보자	강선화	김현석	나혜실	최지훈	한미옥	합계
득표 수(표)	80	112	48	48	32	320
백분율(%)	25	35	15	15	10	100

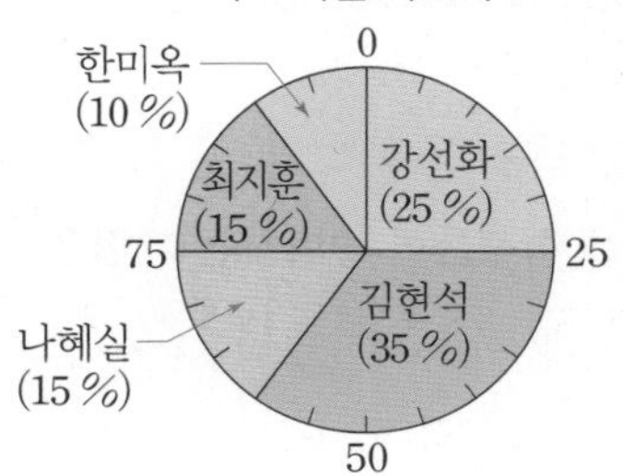

18 답 풀이 참조

구석기: $\frac{500}{5000}\times 100=10(\%)$

신석기: $\frac{1000}{5000}\times 100=20(\%)$

청동기: $\frac{1500}{5000}\times 100=30(\%)$

철기: $\frac{2000}{5000}\times 100=40(\%)$

시대	구석기	신석기	청동기	철기	합계
문화재 수(점)	500	1000	1500	2000	5000
백분율(%)	10	20	30	40	100

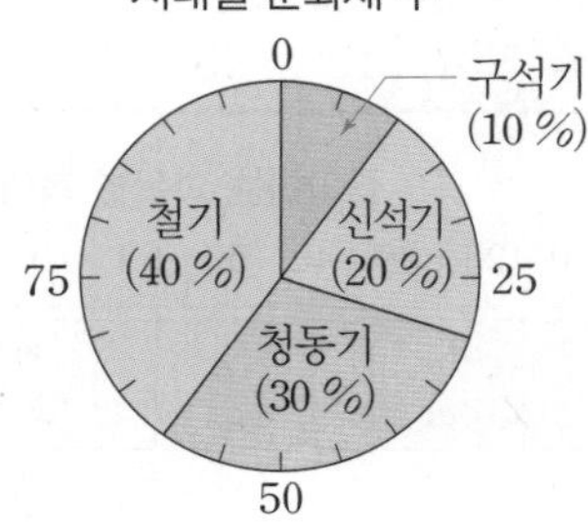

17 그래프 해석하기

p. 79~81

> 예제 따라 풀어보는 연산

01 2배 02 40명 03 4명
04 18명 05 과학 06 3배
07 200명 08 50명

> 스스로 풀어보는 연산

09 피자 10 2배 11 1.4배 12 4명
13 수박 14 28 % 15 $\frac{1}{2}$배
16 44명

> 응용 연산

17 35 % 18 60 % 19 100명
20 140명 21 33 % 22 60 %
23 72명 24 200명

01 답 2배
운동화를 받고 싶은 학생은 30 %, 책을 받고 싶은 학생은 15 %이므로 $\frac{30}{15}=2$(배)입니다.

02 답 40명
전체 학생 수를 □라고 하면
$\frac{12}{\square}\times100=30$
$\square=12\times100\div30=40$(명)

03 답 4명
기타에 속하는 학생은 운동화를 받고 싶은 학생의 $\frac{1}{3}$배이므로 $12\times\frac{1}{3}=4$(명)입니다.

04 답 18명
휴대 전화를 받고 싶은 학생은 책을 받고 싶은 학생의 3배이므로 $6\times3=18$(명)입니다.

05 답 과학
비율이 두 번째로 큰 과목은 과학입니다.

06 답 3배
영어를 좋아하는 학생은 45 %, 국어를 좋아하는 학생은 15 %이므로 3배입니다.

07 답 200명
전체 학생 수를 □라고 하면 $\frac{30}{\square}\times100=15$
$\square=30\times100\div15=200$(명)

08 답 50명
과학을 좋아하는 학생은 영어를 좋아하는 학생의 $\frac{25}{45}=\frac{5}{9}$(배)이므로 $90\times\frac{5}{9}=50$(명)입니다.

10 답 2배
햄버거를 좋아하는 학생은 20 %, 김밥을 좋아하는 학생은 10 %이므로 2배입니다.

11 답 1.4배
피자를 좋아하는 학생은 35 %, 떡볶이를 좋아하는 학생은 25 %이므로 $35\div25=\frac{35}{25}=1.4$(배)입니다.

12 답 4명
김밥을 좋아하는 학생 수를 □라고 하면
$\frac{\square}{40}\times100=10$, $\square=10\times40\div100=4$(명)

15 답 $\frac{1}{2}$배
사과를 좋아하는 학생은 14 %, 귤을 좋아하는 학생은 28 %이므로 $\frac{14}{28}=\frac{1}{2}$(배)입니다.

16 답 44명
바나나를 좋아하는 학생 수를 □라고 하면
$\frac{\square}{200}\times100=22$
$\square=22\times200\div100=44$(명)

17 답 35 %
두 번째로 많은 학생들이 좋아하는 동물은 고양이이고 28 %입니다.
네 번째로 많은 학생들이 좋아하는 동물은 사슴이고 7 %입니다.
따라서 전체의 $28+7=35$(%)입니다.

18 답 60 %
첫 번째로 많은 학생들이 좋아하는 동물은 강아지이고 40 %입니다.
세 번째로 많은 학생들이 좋아하는 동물은 토끼이고 20 %입니다.
따라서 전체의 $40+20=60$(%)입니다.

19 답 100명

토끼를 좋아하는 학생은 강아지를 좋아하는 학생의 $\frac{1}{2}$배이므로 $200 \times \frac{1}{2} = 100$(명)입니다.

20 답 140명

고양이를 좋아하는 학생은 사슴을 좋아하는 학생의 4배이므로 $35 \times 4 = 140$(명)입니다.

21 답 33 %

두 번째로 많은 학생들이 좋아하는 민속놀이는 윷놀이이고 22 %입니다.
네 번째로 많은 학생들이 좋아하는 민속놀이는 투호이고 11 %입니다.
따라서 전체의 $22 + 11 = 33$(%)입니다.

22 답 60 %

첫 번째로 많은 학생들이 좋아하는 민속놀이는 제기차기이고 47 %입니다.
세 번째로 많은 학생들이 좋아하는 민속놀이는 차전놀이이고 13 %입니다.
따라서 전체의 $47 + 13 = 60$(%)입니다.

23 답 72명

차전놀이 또는 투호를 좋아하는 학생은
$13 + 11 = 24$(%)이므로
$300 \times 0.24 = 72$(명)입니다.

24 답 200명

제기차기 또는 투호를 좋아하는 학생은
$47 + 11 = 58$(%)이므로
전체 학생 수를 □라고 하면 $\frac{116}{\square} \times 100 = 58$
$\square = 116 \times 100 \div 58 = 200$(명)

p. 82

재미있게, 우리 연산하자!

전체에 대한 야채의 비율은 60 %입니다.
전체에 대한 상추의 비율은 $\frac{60}{100} \times \frac{30}{100} = 0.18$이므로 18 %입니다.
비율이 가장 낮은 야채는 무입니다.
따라서 할머니 댁의 밭은 수박 밭입니다.

답 수박 밭

6 직육면체의 부피와 겉넓이

18 직육면체의 부피

p. 85~87

> 예제 따라 풀어보는 연산

01 $12\ cm^3$ **02** $12\ cm^3$ **03** $20\ cm^3$
04 $18\ cm^3$ **05** $48\ cm^3$ **06** $40\ cm^3$
07 $60\ cm^3$ **08** $64\ cm^3$ **09** $27\ cm^3$
10 $64\ cm^3$ **11** $343\ cm^3$ **12** $1000\ cm^3$

> 스스로 풀어보는 연산

13 $20\ cm^3$ **14** $24\ cm^3$ **15** $24\ cm^3$
16 $36\ cm^3$ **17** $30\ cm^3$ **18** $15\ cm^3$
19 $18\ cm^3$ **20** $36\ cm^3$ **21** $512\ cm^3$
22 $125\ cm^3$ **23** $216\ cm^3$ **24** $1331\ cm^3$

> 응용 연산

25 $182\ cm^3$ **26** $100\ cm^3$ **27** 나 **28** 가
29 9 cm **30** 14 cm **31** 5 cm
30 7 cm

01 답 $12\ cm^3$

쌓기나무가 $3 \times 2 \times 2 = 12$(개)이므로
부피는 $12\ cm^3$입니다.

02 답 $12\ cm^3$

쌓기나무가 $4 \times 1 \times 3 = 12$(개)이므로
부피는 $12\ cm^3$입니다.

03 답 $20\ cm^3$

쌓기나무가 $5 \times 2 \times 2 = 20$(개)이므로
부피는 $20\ cm^3$입니다.

04 답 $18\ cm^3$

쌓기나무가 $3 \times 2 \times 3 = 18$(개)이므로
부피는 $18\ cm^3$입니다.

05 답 $48\ cm^3$

(직육면체의 부피)$= 2 \times 4 \times 6 = 48(cm^3)$

06 답 $40\ cm^3$
(직육면체의 부피)$=5\times4\times2=40(cm^3)$

07 답 $60\ cm^3$
(직육면체의 부피)$=4\times3\times5=60(cm^3)$

08 답 $64\ cm^3$
(직육면체의 부피)$=8\times2\times4=64(cm^3)$

09 답 $27\ cm^3$
(정육면체의 부피)$=3\times3\times3=27(cm^3)$

10 답 $64\ cm^3$
(정육면체의 부피)$=4\times4\times4=64(cm^3)$

11 답 $343\ cm^3$
(정육면체의 부피)$=7\times7\times7=343(cm^3)$

12 답 $1000\ cm^3$
(정육면체의 부피)$=10\times10\times10=1000(cm^3)$

13 답 $20\ cm^3$
쌓기나무가 $2\times2\times5=20$(개)이므로
부피는 $20\ cm^3$입니다.

14 답 $24\ cm^3$
쌓기나무가 $3\times4\times2=24$(개)이므로
부피는 $24\ cm^3$입니다.

15 답 $24\ cm^3$
쌓기나무가 $3\times2\times4=24$(개)이므로
부피는 $24\ cm^3$입니다.

16 답 $36\ cm^3$
쌓기나무가 $4\times3\times3=36$(개)이므로
부피는 $36\ cm^3$입니다.

17 답 $30\ cm^3$
(직육면체의 부피)$=5\times2\times3=30(cm^3)$

18 답 $15\ cm^3$
(직육면체의 부피)$=5\times1\times3=15(cm^3)$

19 답 $18\ cm^3$
(직육면체의 부피)$=3\times3\times2=18(cm^3)$

20 답 $36\ cm^3$
(직육면체의 부피)$=3\times3\times4=36(cm^3)$

21 답 $512\ cm^3$
(정육면체의 부피)$=8\times8\times8=512(cm^3)$

22 답 $125\ cm^3$
(정육면체의 부피)$=5\times5\times5=125(cm^3)$

23 답 $216\ cm^3$
(정육면체의 부피)$=6\times6\times6=216(cm^3)$

24 답 $1331\ cm^3$
(정육면체의 부피)$=11\times11\times11=1331(cm^3)$

25 답 $182\ cm^3$
(직육면체의 부피)$=14\times13=182(cm^3)$

26 답 $100\ cm^3$
(직육면체의 부피)$=25\times4=100(cm^3)$

27 답 나
가: $5\times5\times5=125(cm^3)$
나: $8\times4\times4=128(cm^3)$

28 답 가
가: $9\times9\times9=729(cm^3)$
나: $9\times8\times10=720(cm^3)$

29 답 $9\ cm$
오른쪽 직육면체의 부피는 $6\times3\times8=144(cm^3)$이므로 왼쪽 직육면체의 가로는 $144\div16=9(cm)$입니다.

30 답 $14\ cm$
왼쪽 직육면체의 부피는 $7\times7\times12=588(cm^3)$이므로 오른쪽 직육면체의 가로는 $588\div42=14(cm)$입니다.

31 답 $5\ cm$
높이는 $280\div(7\times8)=280\div56=5(cm)$입니다.

32 답 $7\ cm$
높이는 $420\div(12\times5)=420\div60=7(cm)$입니다.

19 m^3 알아보기

p. 89~91

> 예제 따라 풀어보는 연산

01 3000000 **02** 2500000
03 50 **04** 4.5 **05** 125 m^3
06 240 m^3 **07** 16 m^3 **08** 36 m^3
09 27 m^3 **10** 216 m^3 **11** 512 m^3
12 729 m^3

> 스스로 풀어보는 연산

13 29000000 **14** 4200000
15 2.8 **16** 13 **17** 72 m^3
18 480 m^3 **19** 0.24 m^3 **20** 8 m^3
21 64 m^3 **22** 343 m^3 **23** 0.027 m^3
24 0.512 m^3

> 응용 연산

25 16 m^3 **26** 18 m^3 **27** 29.4 m^3
28 15.6 m^3 **29** ㉢ **30** ㉡
31 3000개 **32** 2000개

05 답 125 m^3
(직육면체의 부피)$=5\times5\times5=125(m^3)$

06 답 240 m^3
(직육면체의 부피)$=4\times6\times10=240(m^3)$

07 답 16 m^3
(직육면체의 부피)$=2\times2\times4=16(m^3)$

08 답 36 m^3
(직육면체의 부피)$=4\times3\times3=36(m^3)$

09 답 27 m^3
(정육면체의 부피)$=3\times3\times3=27(m^3)$

10 답 216 m^3
(정육면체의 부피)$=6\times6\times6=216(m^3)$

11 답 512 m^3
(정육면체의 부피)$=8\times8\times8=512(m^3)$

12 답 729 m^3
(정육면체의 부피)$=9\times9\times9=729(m^3)$

17 답 72 m^3
(직육면체의 부피)$=4\times3\times6=72(m^3)$

18 답 480 m^3
(직육면체의 부피)$=10\times6\times8=480(m^3)$

19 답 0.24 m^3
(직육면체의 부피)$=1.2\times0.5\times0.4=0.24(m^3)$

20 답 8 m^3
(직육면체의 부피)$=4\times2\times1=8(m^3)$

21 답 64 m^3
(정육면체의 부피)$=4\times4\times4=64(m^3)$

22 답 343 m^3
(정육면체의 부피)$=7\times7\times7=343(m^3)$

23 답 0.027 m^3
(정육면체의 부피)$=30\times30\times30$
$=27000(cm^3)=0.027(m^3)$

24 답 0.512 m^3
(정육면체의 부피)$=80\times80\times80$
$=512000(cm^3)=0.512(m^3)$

25 답 16 m^3
(직육면체의 부피)$=2\times2\times4=16(m^3)$

26 답 18 m^3
(직육면체의 부피)$=1.5\times4\times3=18(m^3)$

27 답 29.4 m^3
(직육면체의 부피)$=2\times3.5\times4.2=29.4(m^3)$

28 답 15.6 m^3
(직육면체의 부피)$=5\times2.4\times1.3=15.6(m^3)$

29 답 ㉢
㉠ 2.7 m^3
㉡ 950000 $cm^3=0.95$ m^3
㉢ $2\times2\times2=8(m^3)$
㉣ $0.8\times3\times0.8=1.92(m^3)$

30 답 ㉡
㉠ 9.2 m^3
㉡ 9400000 $cm^3=9.4$ m^3
㉢ $2.1\times2.1\times2.1=9.261(m^3)$
㉣ $1.8\times2.1\times2.3=8.694(m^3)$

31 답 3000개

(창고의 부피)$=4\times2\times3=24(m^3)$

$=24000000(cm^3)$

(상자의 부피)$=20\times20\times20=8000(cm^3)$

따라서 $24000000\div8000=3000$(개) 쌓을 수 있습니다.

32 답 2000개

(방의 부피)$=8\times4\times4=128(m^3)$

$=128000000(cm^3)$

(사물함의 부피)$=40\times40\times40=64000(cm^3)$

따라서 $128000000\div64000=2000$(개) 쌓을 수 있습니다.

20 직육면체의 겉넓이

p. 93~95

> 예제 따라 풀어보는 연산

01 $52 cm^2$ **02** $18 cm^2$ **03** $40 cm^2$
04 $42 cm^2$ **05** $24 cm^2$ **06** $96 cm^2$
07 $150 cm^2$ **08** $216 cm^2$ **09** $112 cm^2$
10 $108 cm^2$ **11** $56 cm^2$ **12** $110 cm^2$

> 스스로 풀어보는 연산

13 $148 cm^2$ **14** $208 cm^2$ **15** $122 cm^2$
16 $66 cm^2$ **17** $384 cm^2$ **18** $726 cm^2$
19 $294 cm^2$ **20** $600 cm^2$ **21** $122 cm^2$
22 $40 cm^2$ **23** $104 cm^2$ **24** $108 cm^2$
25 $54 cm^2$ **26** $96 cm^2$ **27** $216 cm^2$
28 $150 cm^2$

> 응용 연산

29 7 **30** 7 **31** 가 **32** 나
33 $96 cm^2$ **34** $48 cm^2$ **35** $294 cm^2$
36 $486 cm^2$

01 답 $52 cm^2$

(직육면체의 겉넓이)

$=(2\times3+3\times4+4\times2)\times2=52(cm^2)$

02 답 $18 cm^2$

(직육면체의 겉넓이)

$=(4\times1+1\times1+1\times4)\times2=18(cm^2)$

03 답 $40 cm^2$

(직육면체의 겉넓이)

$=(4\times2+2\times2+2\times4)\times2=40(cm^2)$

04 답 $42 cm^2$

(직육면체의 겉넓이)

$=(3\times2+2\times3+3\times3)\times2=42(cm^2)$

05 답 $24 cm^2$

(정육면체의 겉넓이)$=2\times2\times6=24(cm^2)$

06 답 $96 cm^2$

(정육면체의 겉넓이)$=4\times4\times6=96(cm^2)$

07 답 $150 cm^2$

(정육면체의 겉넓이)$=5\times5\times6=150(cm^2)$

08 답 $216 cm^2$

(정육면체의 겉넓이)$=6\times6\times6=216(cm^2)$

09 답 $112 cm^2$

(직육면체의 겉넓이)

$=(5\times4+4\times4+4\times5)\times2=112(cm^2)$

10 답 $108 cm^2$

(직육면체의 겉넓이)

$=(6\times3+3\times4+4\times6)\times2=108(cm^2)$

11 답 $56 cm^2$

(직육면체의 겉넓이)

$=(2\times2+2\times6+6\times2)\times2=56(cm^2)$

12 답 $110 cm^2$

(직육면체의 겉넓이)

$=(3\times5+5\times5+5\times3)\times2=110(cm^2)$

13 답 $148 cm^2$

(직육면체의 겉넓이)

$=(5\times4+4\times6+6\times5)\times2=148(cm^2)$

14 답 $208 cm^2$

(직육면체의 겉넓이)

$=(6\times8+8\times4+4\times6)\times2=208(cm^2)$

15 답 $122\ cm^2$
(직육면체의 겉넓이)
$=(7\times3+3\times4+4\times7)\times2=122(cm^2)$

16 답 $66\ cm^2$
(직육면체의 겉넓이)
$=(3\times4+4\times3+3\times3)\times2=66(cm^2)$

17 답 $384\ cm^2$
(정육면체의 겉넓이)$=8\times8\times6=384(cm^2)$

18 답 $726\ cm^2$
(정육면체의 겉넓이)$=11\times11\times6=726(cm^2)$

19 답 $294\ cm^2$
(정육면체의 겉넓이)$=7\times7\times6=294(cm^2)$

20 답 $600\ cm^2$
(정육면체의 겉넓이)$=10\times10\times6=600(cm^2)$

21 답 $122\ cm^2$
(직육면체의 겉넓이)
$=(4\times3+3\times7+7\times4)\times2=122(cm^2)$

22 답 $40\ cm^2$
(직육면체의 겉넓이)
$=(2\times2+2\times4+4\times2)\times2=40(cm^2)$

23 답 $104\ cm^2$
(직육면체의 겉넓이)
$=(5\times2+2\times6+6\times5)\times2=104(cm^2)$

24 답 $108\ cm^2$
(직육면체의 겉넓이)
$=(4\times3+3\times6+6\times4)\times2=108(cm^2)$

25 답 $54\ cm^2$
(정육면체의 겉넓이)$=3\times3\times6=54(cm^2)$

26 답 $96\ cm^2$
(정육면체의 겉넓이)$=4\times4\times6=96(cm^2)$

27 답 $216\ cm^2$
(정육면체의 겉넓이)$=6\times6\times6=216(cm^2)$

28 답 $150\ cm^2$
(정육면체의 겉넓이)$=5\times5\times6=150(cm^2)$

29 답 7
$(3\times2+\square\times2+\square\times3)\times2=82$에서
$\square\times2+\square\times3=35$, $\square\times5=35$, $\square=7$

30 답 7
$(6\times4+\square\times4+\square\times6)\times2=188$에서
$\square\times4+\square\times6=70$, $\square\times10=70$, $\square=7$

31 답 가
가: $(8\times6+6\times4+4\times8)\times2=208(cm^2)$
나: $(5\times4+4\times6+6\times5)\times2=148(cm^2)$
따라서 겉넓이가 더 큰것은 가입니다.

32 답 나
가: $(6\times4+4\times3+3\times6)\times2=108(cm^2)$
나: $(5\times3+3\times7+7\times5)\times2=142(cm^2)$
따라서 겉넓이가 더 큰것은 나입니다.

33 답 $96\ cm^2$
(정육면체의 겉넓이)$=16\times6=96(cm^2)$

34 답 $48\ cm^2$
(정육면체의 겉넓이)$=8\times6=48(cm^2)$

35 답 $294\ cm^2$
정육면체의 한 모서리의 길이는 $14\div2=7(cm)$이므로 겉넓이는 $7\times7\times6=294(cm^2)$입니다.

36 답 $486\ cm^2$
정육면체의 한 모서리의 길이는 $27\div3=9(cm)$이므로 겉넓이는 $9\times9\times6=486(cm^2)$입니다.

p. 96

재미있게, 우리 연산하자!

사다리타기 결과는 다음과 같습니다.

직육면체 가의 부피 ⇨ ㉠
직육면체 나의 겉넓이 ⇨ ㉡
정육면체 다의 부피 ⇨ ㉣
정육면체 라의 겉넓이 ⇨ ㉢

㉠ (직육면체의 부피)$=4\times3\times2=24(cm^3)$
㉡ (직육면체의 겉넓이)
$=(6\times5+2\times5+6\times2)\times2=104(m^2)$
㉢ (정육면체의 겉넓이)$=(3\times3)\times6=54(m^2)$
㉣ (정육면체의 부피)$=4\times4\times4=64(cm^3)$

답 ㉠ $24\ cm^3$ ㉡ $104\ m^2$ ㉢ $54\ m^2$ ㉣ $64\ cm^3$

풍산자
개념 × 연산
초등 수학 6-1

풍산자 라인업

중학 풍산자로 개념과 문제를 꼼꼼히 풀면 성적이 지속적으로 향상됩니다

상위권으로의 도약을 위한 중학 풍산자 로드맵

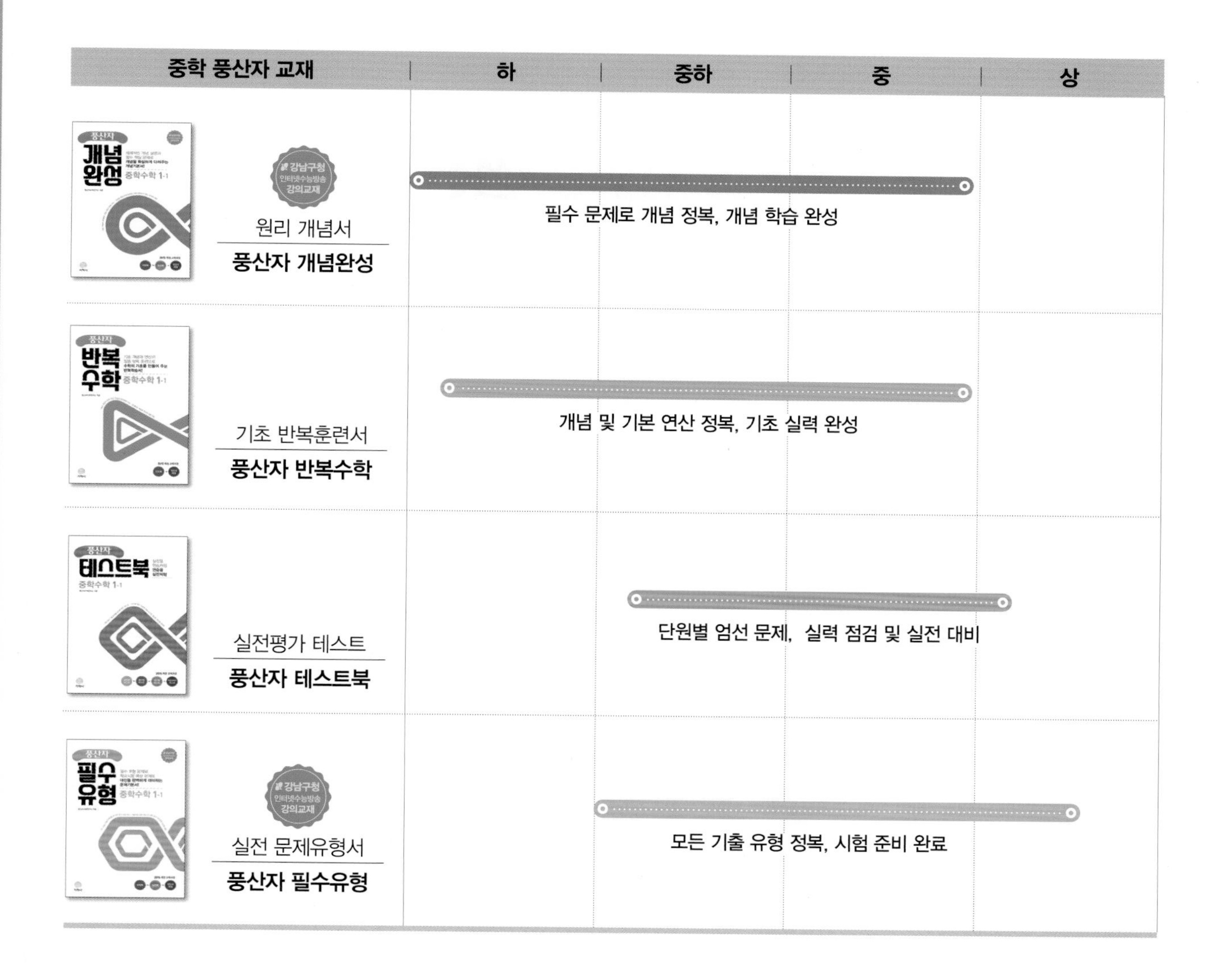

지학사

긴 글은 빠르게! 어려운 글은 쉽게!

독해력 자신감

모든 지문을 읽어 내는 독해 기술

초등학교 국어교과서를 연구하여 선별한 단계별 6가지 기술로 모든 지문을 빠르고 쉽게 읽어 내는 독해력이 생깁니다.

전 과목 공부가 되는 지문 구성

다수의 현장 교사가 영역별 교과 지식을 주제로 지문을 구성하여 전 과목 학업 성적이 올라갑니다.

체계적인 학습을 돕는 해설

본책의 전 지문을 해설에 수록하고, 주제, 중심 문장과 낱말, 문단별 요약 등을 자세히 분석하고 풀어내어 체계적인 학습 및 지도가 가능합니다.

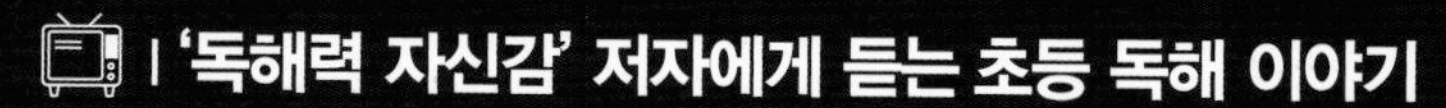

독해력 자신감 미리 보고 듣기!

'독해력 자신감' 저자에게 듣는 초등 독해 이야기

현직 초등 교사이자 '독해력 자신감'의 저자 두 분이 직접 들려주시는 교재의 특징과 활용법을 보고 독해 학습에 활용해 보세요!

독해력을 올리는 '지문듣기' 서비스

비문학 지문은 아나운서의 정확한 발음으로, 문학 지문은 성우의 다채로운 표현으로 지문을 들어 보세요!

*3단계 20회차 지문 샘플입니다.